MACK

MACK

MACK

MACK

MACK

Mack. Spectrum. 1950-2016
Matthieu Poirier

Cover: *Entwurf für eine Lichtpyramide* (detail), 1964
Back cover: Heinz Mack in his studio in Düsseldorf, 1959

Previous pages:

Grosse Stele, 1997. Wahiba Desert, Oman

Light Architecture, Model for a Floating Research Station, 1976. Arctic

Ksar, 1976. Grand Erg Oriental, Algeria

Project for a Ballon Action, photo collage

Mack.
Spectrum.
1950-2016

Matthieu
Poirier

1. Mack recounts how he found three works on the library shelves of the school that had been devastated a few years earlier by the Nazis and bombardments—only three works, one of which was, according to him, about the drawings of Auguste Rodin, and another on monumental art in Italy.

2. Among the recent exhibitions that have presented the joint history of Kinetic art and ZERO, we will cite those held at the Guggenheim Museum (New York), Martin-Gropius-Bau (Berlin), the Stedelijk Museum (Amsterdam), as well as "Dynamo. Un siècle de lumière et de mouvement dans l'art. 1913-2013" [Dynamo: A Century of Light and Movement in Art (1913-2013)] at the Galeries Nationales du Grand Palais (Paris, 2013). I chose the title "Dynamo" for this last exhibition, and attributed a leading role to this movement, in reference to the repeated use of the term by Mack himself, beginning with issue 3 of the journal ZERO in 1958, and in the exhibition "Dynamo 1" in Wiesbaden or "Dynamo" at the Palais des Beaux-Arts de Bruxelles, in 1963. When it was formed, the group even considered calling itself "DYNAMO," before settling on "ZERO".

The last major exhibition in France dedicated to Heinz Mack was held over forty years ago, in 1973, at the Musée d'Art moderne de la ville de Paris. For the current exhibition at the Galerie Perrotin, I have gathered with the artist over seventy works of all formats, natures, and periods, documenting as best as possible the main outlines of a complex journey. It has been unfolding since 1950 at the Arts Academy of the city of Düsseldorf, which was still under reconstruction at the time,[1] and where Mack conducted his initial pictorial research as well as discovered the historic avant-gardes. After studying philosophy at the University of Cologne from 1953 to 1955, he made numerous journeys to the Sahara, where his productions, beginning in 1962, prefigured Land Art. The years between 1957-1966 were a seminal period: Mack was, along with Otto Piene and later Günther Uecker (who joined them in 1962), the founder and central figure of ZERO, a multifaceted artistic entity that reconsidered the very principle of abstract art with regard to monochrome painting, movement, phenomenology, and cognitivism.[2] Also important were the years between 1970 and 1980, when a number of his monumental sculptures integrated German urban space. On his business card, Mack presents himself as a "sculptor and painter". The order in which they are mentioned is important, as it gives precedence to the modulation of matter in space over the creation of images on a painting's surface. In other words, even the canvases that the artist has stretched over frames since the mid-1950s are covered in a material whose abundant impasto pushes them toward the relief, that intermediary domain of art history somewhere between painting and sculpture. Strictly speaking, these reliefs are mural sculptures, which is to say that their elements are significantly raised from the surface on which they are fixed. Like sculptures in the round, they are most often made of traditional materials (paint, metal, wood, stone, glass, plexiglass, plaster, or sand), and are handled with equally traditional workshop tools. Yet against all expectations—given this material and technical description—their appearance remains elusive, and mental or photographic fixing seems impossible. The spectator is confronted with an incessant perceptual game with light and real space, in which the material literally seems to be consumed by the interplay of reflections, and the work exists only in a double movement of appearance and disappearance. We have a paradox here—one that is inseparable from the history of Kinetic art and Perceptual art, of which Mack was a central figure—between the simplicity of the material fact and the complexity of perceptual effects. A similar tension applies to the evolution of the artist's life, which could not be approached with accuracy from a fixed point of view, or according to a central perspective.

3. Interview with the author, Mönchengladbach, January 8, 2016.

4. John Dewey, *Art as Experience* [1934], New York, Penguin, 2005, p. 296.

5. On April 24, 1958, Klaus Jürgen-Fischer, an artist and author of the review *Das Kunstwerk*, presented this vast undertaking in his opening speech for the seventh *Abendausstellung*: "Das rote Bild" [*The Red Painting*]. He observed that "[there] still exist completely non-commercial areas of artistic experimentation that function without any goal or established program, solely with the intention of showing and stimulating [...]. I would like to view these *Abendausstellungen* as one such area of experimentation, with the emphasis not on the completed work of art, but on the test tube in which it was created."

Considering the retrospective nature of the works created between 1950 and 2016 that I selected for this book and this exhibition, the artist recently stated: "I have always wanted to create something as simple as possible. Because the world is filled with images that confuse the mind. Yet this simplification cannot be likened to an impoverishment—it produces energy."[3] It therefore represents for the artist a genuine concentration, which frees the force accumulated within the living context of the relation established with both the viewer and the surrounding space. The work thus opposes different forms of logic, figuration and imagery in general, as well as the two opposing trends that were fashionable in the 1950s, when Mack defined the outlines of his practice: Abstract Expressionism on the one hand, and Concrete art on the other. Considering their respective esthetic impact too limited, he opted for an intermediary situation between the regular Apollonian and the chaotic Dionysian. A few decades before these experimentations, John Dewey had already pointed out this balance between the baroque and the classical in his book *Art as Experience* (1915), by denouncing another traditional dissociation, that which is present between perception and its object, on the grounds that both can be understood only within the continuity of a single and matching operation.[4] More specifically, Mack's work is grounded on the reciprocity of the art object, and this is so not only with its viewer, but also with the luminous and spatial specificities of its physical environment of presentation. This element, which strictly speaking is experiential —rather than "experimental"—was a central aspect of the spirit that guided ZERO, a multifaceted international entity that since 1957 has included artists from countries such as Germany, France, the Netherlands, Belgium, Switzerland, and Japan. ZERO was centered around numerous exhibitions, events and publications. In 1957, Mack and Piene organized a series of *Abendausstellungen*,[5] which from the beginning marked ZERO as an open structure, with their shared studio on Gladbacher Strasse in Düsseldorf. These public events included not only their own works, but also those of artists who shared their ideas, with Mack and Piene serving in an early role as artist-curators, defending not only their own works and ideas, but also those of their colleagues with similar goals, such as exploration of the twin questions of relief and a "monochrome ideal". Mack sought to unfold, in real space and time, color itself, which is to say a single color at a time, preferably white, black or gray (*Structure Dynamic Blanc*, 1958 [p. 146], *Weisse Vibration*, 1958 [p. 126-127], *Weisser Rhythmus*, 1958 [p. 57], and *Ohne Titel*, 1960 [p. 161]), but also more rarely other values such as red (*Ohne Titel*, 1958), blue (*Vibration im Blau*, 1959 [p. 154-155]) and halftones (*Ohne Titel*, 1957-1958). His esthetic project in 1958 was most precise: "I impart vibration to a color, i.e., I give the color structure, or I give the color its form. There is nothing more to say regarding the notion of 'form' in the traditional sense."[6] For Abstract Expressionism, which Mack was closely following in the early 1950s, seemed to him—through its lively polychromy and its supposedly unbridled gestuality—as being almost too indebted to the history of painting.

In Mack's *Metallreliefs* or *Lichtreliefs*, the constant dialectic between order and chaos, grid and cloud, matter and light proves to be firmly abstract.[7] These works, as is also true of the sand reliefs, nevertheless echo the activity of natural elements such as light, wind, and rain on surfaces of water or sand. The link between Heinz Mack and Yves Klein is essential here. Their meeting in 1956 led to a great friendship and numerous collaborations, which were interrupted only by Klein's death in April 1962. Klein's contribution to the history of the monochrome, which ended tragically, would be recognized quite early on, while Mack's contribution, although perfectly contemporary and also clearly distinct, would be underestimated for a long time in the history of the genre. In the black paintings, whose material plays with light, such as in *Ohne Titel* (1957-1958) [p. 53, 54-55], *Black & White* (1958) [p. 76-77] or *Das sehr schwarze Bild* (1961-1962) [p. 149, 150-151], Mack hastens to integrate the relief and variation of a repetitive rhythm. Like a note played out of time, countless accidents and other irregularities take part in this genuine staccato, whereas Klein favored a kind of contemplative continuity. These many micro-ruptures result from the gestual method that Mack deemed necessary in order to avoid decoration. Similar to this radical series—which incidentally prefigures or is exactly contemporary with the *Outrenoirs* of Pierre Soulages—are his *Sandreliefs*, such as *Sandrelief-Sandwellen* (1958) [p. 50] or *Grosses Sandrelief* (1962-1970) [p. 132-133], whose grainy surface and regular alternation of hollows and rises were formed, like many other paintings from 1958 presented in this text, by passing a simple stylus or a serrated ruler (of which the artist created numerous models based on the format of the work and the rhythm he wanted to imprint). Such tools, which are traditionally associated with sculpture, replace the painter's tools of the brush and palette knife. The overall result of this process evokes the powdery surface of Klein's IKB monochromes, or those of the textiles pleated and then painted by Piero Manzoni for his "Achromes". However, the dynamic aspect, along with the play of shadows and light, distinguishes Mack's work, as does the role given to chance, for instance in the strange horizontal relief entitled *Sahara-Sandtisch* (1972) [p. 88-89, 91], consisting simply of dry sand the artists brought back from a trip to the desert and simply enclosed in a box of plexiglass, and whose appearance changes each time it is moved or tipped. It is not just a fragment of the desert that seems to have been brought into the field of art, but also the uninterrupted variability of its appearance.

The variability is different in Mack's works in aluminum. They are manually embossed with the help of a stylus and a ruler—the sheet is then attached to a wooden board to make it rigid. "I no longer saw the metal relief, but rather a vibrating and pulsating structure made of light. It seemed to me that this structure hovered over the relief of the metal, as though it detached from it, like the reflection of light on the wall begins to vibrate in intense sun, taking on the appearance of a carpet of light made of reflections of dancing light."[8] This account, along with others, reveals the artist's

6. Heinz Mack, "Die neue dynamische Struktur," *ZERO I*, Düsseldorf, 1958, n. p.

7. Works of a figurative nature by Mack can be counted on the fingers of one hand. Not without echoing Henri Matisse's architectural integrations, it is notable that these rare exceptions, during the 1970s, were commissioned by churches. Nevertheless, Mack considers himself as atheist and existentialist—he willingly emphasized the determining influence of Jean-Paul Sartre during the 1950s—and considered churches as "spaces of sacred emanation, where one encounters oneself."

8. Heinz Mack, cited by Yvonne Schwarzer, *Das Paradies auf Erden schon zu Lebzeiten betreten. Ein Gespräch mit dem Maler und Bildhauer Heinz Mack* (our translation), Witten, ars momentum Kunstverlag GmbH, 2005, p. 15.

exceptional fascination with light, which Dieter Honisch has presented as an element in its own right. By retracing the genealogy of these metallic reliefs to Impressionism or Neoimpressionism, the art historian formulated his idea thusly: "[Mack] does not produce a portrait of light, but instead forces it to reveal itself, to be involved in the creation of a particular optical quality. In his optical reliefs, light appears as gathered, concentrated, fortified, reinforced, intensified or, in one word, carried by a power of fascination that exists nowhere else."[9] In other words, by way of a material and tangible basis, Mack seeks to amplify the undulating, rhythmic, and vibratory essence of the phenomenon of natural light. *Interferenzen. Integrale Elemente für einen virtuellen Raum* (1966) [p. 58-59] concentrates these aspects, both through the space it occupies and the one it activates with its reflections. The installation consists of nine elements—including a painting and eight suspended grids—as well as a square-shaped reflective floor and a few light projectors. The materials and colors are simple (stainless steel, plexiglass painted in alternating black and white), yet their interplay of rotation, transparence, opaqueness, interference, and reflections produces a powerful perceptual dizziness: the field of the object opens up onto the space, and any material point of reference, in the traditional sense of sculpture, is abolished. Where László Moholy-Nagy still conceived the spatiotemporal deployment of his *Licht-Raum Modulator* (1922-1930) in a traditional composed manner, Mack pushed his sculpture to the limits of simplification and flickering, toward a paradoxical form of derealization. *Weisser Drahtkasten* [p. 67], from 1959, is an important stage in the evolution that led Mack from painting—of course radical, but still indebted to Informal art and Materialism—toward this type of fully kinetic sculpture. The work, for instance, is made up of grids, sometimes folded in two, and covered with a thick coat of white paint, whose visible material conveys the artist's still obvious attachment to informal art. Nevertheless, and this is where the transition can be seen, these grids (some motorized) play off one another, and are presented in an immaculate space that contains them, which is illuminated from within. The eye is trapped by the intricacies of the arrangement, caught in its optical nets. Beginning in 1961, Mack used another prefabricated industrial element, one that was used in the field of aeronautics —a metallic structure called a "beehive," which was simultaneously airy, extendible, and shiny. It enabled him to push further the play of transparence and reflection begun in 1958, as well as to develop an unprecedented form of composition with a pictorial resonance, produced by the tightening or stretching of this mesh. This material, which

Rondo, Gelsenkirchen, Germany, 1968

9. Dieter Honisch, *Mack. Skulpturen 1953-1986* (our translation), Düsseldorf/Wien, Econ Verlag, 1986.

Mack. Spectrum. 1950-2016. Matthieu Poirier

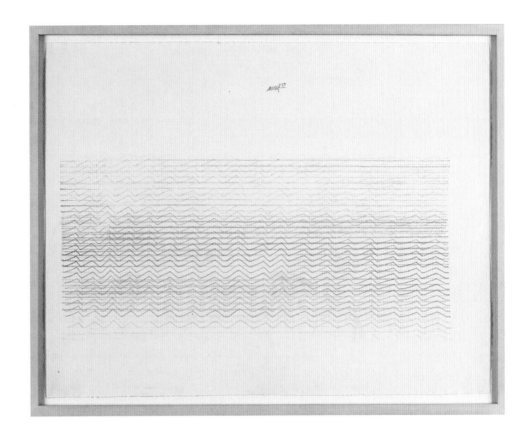

Ohne Titel, 1950.
Graphite on paper,
frame, 48.5 × 62.5 cm /
19¹/⁸ × 24⁵/⁸ in

was enclosed between plates of glass, was for instance used for mural reliefs or steles; it was even used for screens (*Paravent für Licht*, 1970) [p. 63, 64-65] which are often open on both sides (*Lichthaus für Bienen*, 1966), precisely in order to allow both light and gaze to freely move through them, instead of stopping or reflecting them. Among these works stands out *Licht-Reflektor* (1965), a box enclosing a Fresnel lens, which alternately seems to hollow or swell as we move about, while decomposing light into all of the colors of the spectrum. For it is not just *color alone* that Mack uses, or more precisely "non-colors," which is to say black, white and gray, as prescribed by Piet Mondrian, in that they can wholly coexist with all chromatic values.

After 1991, Mack returned to a painting without material relief and with a lively polychromy, which had been excluded for so long from his practice, and undertook the creation of paintings of willingly large format, such as *Die Musik (Chromatische Konstellation)* (1998) [p. 136-137], or *Grosse Kontemplation (Chromatische Konstellation)* (2002) [p. 71], which enter into a dialogue with Goethe's discoveries on the light spectrum and the cloud-like nature of pigment. Yet between 1955-1957, *Farbstufen* [p. 166-167], a surprising relief consisting of paint on wood, gypsum and copper, shows a rare contiguity in the artist's work, especially during the 1950s, between projected form and the systematic decomposition of the color spectrum —a "constellation," to echo the artist's willingly cosmogonic vocabulary. Without involving pigment-based color, painting, or relief, a work such as *Rondo* (1963-1968) [p. 97, 100-101], which falls within the category of "mobile" (in the Calderian sense), presents a series of embossed aluminum disks, stainless steel rods, and a plexiglass cylinder, all hanging from wires like a sparkling constellation. Certain early paintings, such as *Rotationsbild* (1953, lost) and *Ohne Titel* (2015) [p. 45], also give the impression of a bridge between two periods: the artist pursues the pictorial use of the rotor, which will appear on multiple occasions as part of more explicitly kinetic works such as *Luftsäge* (1955) [p. 43], a simple disk of serrated metal used for cutting wood, with half of its teeth slashed off in order to imprint an additional rhythm. This tautology of the tool serving as a work, a kind of arranged ready-made, incidentally

Zikurat, 2010.
Stainless steel, motor,
390 × 140 × 150 cm/
153¹/² × 55¹/⁸ × 59 in

echoes earlier productions, such as the surprising drawing on paper (*Ohne Titel*, 1950 [p. 21]) executed by Mack during his first year at the Arts Academy of Düsseldorf, and which consists simply of a succession of horizontal serrated lines, which is the first known occurrence of this structure that will undergo so many developments with the artist. We will also mention *Lamellen-Skulptur mit sieben Sägeblättern* (1954), which includes a number of sawblades with their handles removed, presented on wooden stands in a series of successive registers. The work entitled *Der Garten im Garten* (1979-1980) [p. 164-165] assumes a particular status: it stretches out like an immense translucent panel, enclosing in its thickness different forms solely created by manipulation of the previously mentioned industrial mesh, laid out flat (whose hexagonal alveoli range, based on the model, from a few millimeters to a centimeter). Aside from its title, which considers the garden as the essence of landscape *[The Garden in the Garden]*, this work, among other monochrome panels by Mack, reminds of the initial influence of Jean Arp and his abstract reliefs, with their strictly abstract and highly evocative forms. In general, Mack most often places these works in front of a white wall or a window, so that they fully play their role of filter or modulator, thereby refusing to confine and fix the gaze. Mack thus conceives of an "open work" (U. Eco), which is not autonomous and closed on itself, but on the contrary is profoundly contingent because it is dependent on its variable context, and subject to the whims of variation in spatio-luminous conditions and the erratic movements of the viewer. This is also the case—but according to an infinitely more simple and radical protocol—for *Spiegelwand für Licht und Bewegung* (1960-1966) [p. 94-95], which was initially considered by the artist for the eponymous exhibition organized by Harald Szeemann.[10] Intended to be presented alone in the middle of a room, this model is a sculpture in itself, but whose spatial effects far surpass its material simplicity. It consists of a partition entirely made up of dozens of vertical rectangular mirrors, whose S-shaped curve rises over a base painted solely with parallel lines, which alternate between black and white. Thus the regular image of the lines on the ground, as well as the figure of the viewer, are diffracted, multiplied and distorted, suddenly making uncertain the givens of the surrounding space.

This creation with its changing appearance, which is opposed to the traditional fixity of a painting, is inseparable in Mack's work from a strong resonance with landscape. It situates the artist in the tradition of Mondrian's early experimentation during the 1910s, which led him from the landscape painting toward a radical abstraction, most particularly in *Composition n°10 – Pier and Ocean* (1915). This dialectic between essentialist geometry and atmospheric entropy (we see an aerial form of uncertain contours, which is essentially made up of horizontal and vertical strokes in the sky), also applies to Mack's metallic reliefs beginning in 1958, such as *Lamellenrelief* [p. 99, 102-103] or *Das Meer I – Licht-Relief* [p. 182-183, 185], with its entirely explicit title (*das Meer* means *the sea* in German), both produced in 1963. The multiplication and unpredictable variations of the luminous reflections make the

10. "Licht und Bewegung" was held in 1965 at the Kunsthalle Baden-Baden, the Kunsthalle Bern, and the Palais des Beaux-Arts in Brussels.

Mack. Spectrum. 1950-2016. Matthieu Poirier

work fluctuate between a material object and an actual shining cloud, thereby giving the motifs painted with oil on canvas by the Dutch painter a truly "phenomenal" and spatialized dimension. This dialogue between the permanent structure and the changing dynamic of natural elements is on the order of the landscape. However, this is not a landscape in the classical sense, with trees and people, inherited from seventeenth-century Flemish painting, but a landscape without points of reference, made up of desert-like stretches, whether they be marine or mineral, located in the Arctic or the Sahara, where the artist conducted numerous journeys and projects beginning in 1955. The artist gave these inhospitable regions, whose relief is shaped by natural forces—sand dunes, translucent glaciers and icebergs—a status of *ad hoc* frame for the presentation of his works, thus opening the way for American Land Art in general, and for an artist such as Robert Smithson in particular, for example in his *Yucatan Mirror Displacements* (1969).[11] This also applies to Mack's fascinating photographic collages that evoke contemporary ones by Archigram or Hans Hollein. By creating a play of scales and leaving clearly visible the traces of the "doctoring," the artist transposed his own sculptures into a natural setting, as was the case with *Entwurf für eine Lichtpyramide* (1964) [p. 135], a sculpture formed by eight stainless steel triangles, simply folded at the middle and arranged one behind the other from the smallest to the largest. The means employed are as paltry as the objective is, in the first sense of the term, phenomenal: light and its reflections are captured and returned by the sculpture, leading it toward its near-disappearance. In the same way, these pyramids, which seem to be as sharp as knives, stretch out in space in both a majestic and menacing way. As with his columns, which are covered in yellow gold leaf for *The Sky over Nine Columns* (2013) [p. 120-121] or white gold leaf for *Silber-Stele* (2012-2014), and whose finely embossed surfaces play with the sun's light, Mack proposes to the mobile gaze a model of dynamic monumentality.

In Mack's work, at least before the 1990s and in many productions in relief, the grid viewpoint is crushed, and the brushstrokes of Leonardo da Vinci's *sfumato* make way for acceptance of the Goethian *Trübe* of "retinal trouble". For Konrad Fiedler, this logic that gives priority to trouble is in no way detrimental to knowledge. On the contrary, it would even be its necessary prerequisite: "Through intuition one enters

11. Robert Smithson (1934-1973) most probably discovered Mack's work in 1964 during the preparation of "The Responsive Eye" exhibition at the Museum of Modern Art in New York (as demonstrated by his letters to William Seitz, the exhibition curator, preserved in the museum's archives).

Mack. Spectrum. 1950-2016. Matthieu Poirier

12. Konrad Fiedler, *On Judging Works of Visual Art*, trans. Henry Schaefer-Simmern and Fulmer Mood, Berkeley, University of California Press, [1949] 1978, p. 47-48.

13. "In order to weaken 'perceptual dogmatism,' writes Fiedler, one must begin by being conscious of it (II, 235). Hence the skepticism resulting from the dizziness caused by suspension of the natural attitude (II, 236), the voluntary regression toward a state of absolute insecurity: 'It is thus disarmed that we face the visible world' (II, 237). This methodological *dubito* makes the phenomenon appear as an unsolvable enigma (I, 259)." Philippe Junod, *Transparence et opacité. Essai sur les fondements théoriques de l'art moderne* (our translation), Nîmes, Éditions Jacqueline Chambon, 2004, p. 217-218.

14. See note 2 above.

15. *Monodic* is a musical term. As opposed to *polyphonic*, it designates a voice that emits only one note at a time.

16. Anton Ehrenzweig, *The Hidden Order of Art*, Berkeley and Los Angeles, University of California Press, 1967, XIII.

17. *Ibid.*, p. 110.

18. *Ibid.*, p. 74.

Left: Heinz Mack during the shooting of the film *Tele-Mack*, Sahara, 1968

Project for a monumental Solar-reflector in the desert, 1960-1962

a higher sphere of mental existence, thus perceiving the visual existence of things which in their endless profusion and their vacillating confusion man had taken for granted as simple and clear. Artistic activity begins when man finds himself face to face with the visible world as with something immensely enigmatic."[12] For the philosopher, reduction to the purely visible is not an end in itself, and doubt assumes a kind of propaedeutic function that precedes the acquisition of knowledge. Although Philippe Junod sees in this thought an anticipation of *Gestalttheorie*, it is also possible to see a prefiguration of Mack's work,[13] for whom the relation to the work is no longer of the order of passive absorption, but of active participation, which takes place through a loss of the usual points of reference. It is here that the word "DYNAMO," which appeared regularly in the exhibition and publication titles of ZERO beginning in 1957,[14] takes on a specific meaning: the work must be not only "dynamic," which is to say moved by an internal force, but also "dynamogenic," or able to visually prompt a motor reaction in the viewer, a rattling of his perceptual mechanism. In *The Hidden Order of Art* (1967), Anton Ehrenzweig rejects the notion that modern art is only a place for the illogical, a chaos that is structured by the "good form" applied by the artist or the viewer. Basing himself on numerous occasions on the joint examples of Jackson Pollock and Bridget Riley, the specialist of the *Gestalttheorie* proposes the opposite assumption, with these indistinct appearances in reality hiding a form of deeper articulation, an underlying order: "Reason may seem to be cast aside for a moment. Modern art seems truly chaotic. But as time passes by the 'hidden order' in art's substructure (the work of unconscious form creation) rises to the surface. The modern artist may attack his own reason and single-track thought;[15] but a new order is already in the making."[16] For Ehrenzweig, this involves adapting our mode of vision to this new logic. To do this, he proposes renouncing use of traditional procedures for analyzing the work, notably focus on details, in preference of an encompassing and syncretic vision of visual events. He calls "unconscious scanning" the "sweeping"[17] method that makes it possible to immediately perceive complex and ordered structures, for instance with children or certain psychotics. For him, adopting esthetic behavior that is better adapted to the loops of Pollock's paintings and, we believe, to Mack's paintings and systematic reliefs, would make it possible to "[not] feel attacked and experience the acute discomfort connected with unconscious anxiety";[18] more precisely, this behavior

Television in the Desert,
1968. Collage,
48,3 × 33 cm / 19 x 13 in

entails "to give up our focusing tendency and our conscious need for integrating the colour patches into coherent patterns. We must allow our eye to drift without sense of time or direction, living always in the present moment without trying to connect the colour patch just now moving into our field of vision with others we have already seen or are going to see. If we succeed in evoking in ourselves such a purposeless daydream-like state [...] we lose our sense of unease."[19] For Ehrenzweig, the question of mastery over emotions is central: if the dispossession brought about by the absence of unified and identifiable figures, or visual and spatial destabilization, is accepted by the subject, this can make the anxiety and discomfort disappear, and make us "live in the moment," but in a way that is a million miles from Michael Fried's famous "Presentness is grace" in his famous 1967 essay, "Art and Objecthood":[20] the present moment in question is neither fixed nor mobile, but pulsating. The definition of structure is consequently an essential element in Mack's work, and deserves a few clarifications. The homogeneity of elements that make it up is thus seen by the artist not as a whole, or as an indistinct unity, but as a rule that is constantly called into question by myriad variations, shifts, accidents, and luminous events.

Around 1870, Hippolyte Taine described a perceptual blackout of form that is produced notably when the eye endures this type of highly unusual stress, and when the concept and the percept are dissociated. As part of a study exploring the visual elements of intellection, and after having presented a "general law" of attention, the philosopher called this effect an "error of consciousness" resulting from an "optical-muscular" difficulty in ordering the field of vision and evaluating spatial distances.[21] According to him, the invisible and the evanescent are produced when the hierarchy of elements within the field of vision is disturbed. Taine pursued his reflection by next considering the example of a musical score, which in the spirit of a musician has become "black hieroglyphics [...] [whose] signs are obliterated, the sounds alone survive."[22] These "sounds" that "survive" as they are produced by the consciousness (and not observed by it) constitute in large part the defocused and undulating character of Mack's works, whether they take the form of a relief in metal, such as those mentioned earlier, or of paintings or drawings. If sounds were made using them, they would evoke the repetitive and serial music that emerged at the same time.

The sensorial experience in Mack's work is never a protocol or a pure idea. His will to express the dynamization and fragmentation of modern spatiotemporal experience is nevertheless solidly anchored in the tangible reality of materials, in the innumerable traces of a resolutely manual and artisanal production process, ranging from the brushstroke to cutting stainless steel. This is another, and possibly more primitive, aspect of the dynamogenic quality mentioned earlier, the belief in transmitting to the viewer the physical action from which the work was born. This visual dynamic, which dominates the whole of Mack's work and merges with that which characterized ZERO for a brief period, emerged from the ruins of World War Two from an imperious need to construct a new world in a radical departure from the one that had preceded it. This relation, which is simultaneously demystified and luminous, explores through its processes a modernity that is dominated by the sometimes-crushing feeling of intensifying social and informational exchange, of an acceleration in the rhythm of life. Mack's art is therefore essential today, because it remains irremediably questioning, fluctuating—in a perpetual movement?—between immobility and acceleration, materiality and evanescence.

19. Ibid., p. 74.

20. Michael Fried, "Art and Objecthood," Artforum, 1967, found in Gregory Battcock (ed.), Minimal Art: A Critical Anthology, Berkeley, University of California Press, [1968] 1995, see p. 116-147.

21. Taine developed this idea of a vision that was no longer centralized but dispersed, a condition of this sensation of blackout: "When an impression, or group of impressions, is many times repeated, our attention ends by fixing itself entirely on the interesting and useful part; we neglect the rest, we cease to notice it, we become unconscious of it, and though present, it seems to be absent. So it is, for instance, with the slight muscular sensations occasioned by the eye adapting itself to various distances; they are the signs of these distances, and by them we determine the degree of proximity or distance of objects. [...] [If] ever they strike us, it is in extreme cases, as when we attempt to read something at a distance, or inconveniently near the eye, and feel sensible fatigue in the muscles; except in such cases they are invisible, and have, as it were, vanished." Hippolyte Taine, On Intelligence, trans. by T.D. Haye, Bristol, Thoemmes Press, [1871] 1998, pp. 32-33.

22. Taine, ibid., p. 33.

Mack.
Spectrum.
1950-2016

Matthieu
Poirier

1. Mack raconte avoir trouvé, sur les étagères de la bibliothèque de l'école dévastée quelques années avant cela par les Nazis et les bombardements, uniquement trois ouvrages, dont l'un portait, selon lui, sur les dessins d'Auguste Rodin et un autre sur l'art monumental en Italie.

2. Parmi les expositions récentes qui ont pu rendre compte de l'histoire conjointe du cinétisme et de ZERO, nous pouvons retenir celles qui se sont tenues au Guggenheim Museum (New York), au Martin-Gropius-Bau (Berlin), au Stedelijk Museum (Amsterdam), sans oublier « Dynamo. Un siècle de lumière et de mouvement dans l'art. 1913-2013 », aux Galeries nationales du Grand Palais (Paris, 2013) qui accordait à ce courant une place prépondérante, et dont j'avais choisi le titre en référence à l'usage répété qu'en fit Heinz Mack lui-même, ceci dès le numéro 3 de la revue *ZERO* en 1958, en passant par leur exposition « Dynamo 1 » à Wiesbaden ou encore « Dynamo » au Palais des beaux-arts de Bruxelles en 1963. Dès sa formation, le groupe lui-même faillit s'appeler « DYNAMO », avant de lui préférer « ZERO ».

La dernière exposition d'envergure consacrée à Heinz Mack en France s'est tenue il y a plus de quarante ans, en 1973, au musée d'Art moderne de la ville de Paris. Pour la présente exposition à la galerie Perrotin, j'ai rassemblé avec l'artiste plus de soixante-dix œuvres de tous formats, natures et périodes rendant compte au mieux des axes majeurs d'une arborescence complexe. Celle-ci se déploie depuis 1950, à l'Académie des beaux-arts de Düsseldorf, alors encore en pleine reconstruction[1], où il effectue ses premières recherches graphiques et découvre les avant-gardes historiques. Après des études de philosophie à l'université de Cologne de 1953 à 1955, il effectue de nombreux voyages au Sahara où ses réalisations, dès 1962, préfigurent le land art. 1957-1966 est une période-phare : Heinz Mack est, avec Otto Piene puis Günther Uecker (celui-ci les rejoint en 1962), le fondateur et l'acteur central de ZERO, une entité artistique à géométrie variable qui réforma le principe même de l'art abstrait à l'aune de la peinture monochrome, du mouvement, de la phénoménologie et des sciences cognitives[2], sans oublier les années 1970 et 1980, pendant lesquelles nombre de ses sculptures, volontiers monumentales, intègrent l'espace urbain allemand. Sur sa carte de visite, Heinz Mack se présente en qualité de « sculpteur et peintre ». L'ordre de ces mentions est important : il fait prévaloir la modulation de la matière dans l'espace sur la création d'images à la surface du tableau. Autrement dit, même les toiles que l'artiste tend sur châssis dès le milieu des années 1950 sont recouvertes d'une matière dont les empâtements abondants les tirent vers ce domaine intermédiaire de l'histoire de l'art, situé entre la peinture et la sculpture, qu'est le relief. Ces reliefs, quant à eux, sont à proprement parler des sculptures murales, c'est-à-dire que leurs éléments forment une saillie conséquente par rapport au plan sur lequel ils sont fixés. Comme des sculptures en ronde-bosse, ils sont constitués le plus souvent de matériaux traditionnels (peinture, métal, bois, pierre, verre, plexiglas, plâtre ou sable) et traités avec des outils d'atelier qui le sont tout autant. Pourtant, contre toute attente, au vu de cette description matérielle et technique, leur apparence demeure insaisissable et toute fixation mentale ou photographique semble impossible. Cette apparence, donc, consiste en un jeu perceptif incessant avec la lumière et l'espace réel. La matière y semble littéralement consumée par les jeux de réflexions et l'œuvre n'existe que dans un double mouvement d'apparition et de disparition. Il s'agit là d'un paradoxe, indissociable de l'histoire du cinétisme et de l'art perceptuel dont Heinz Mack fut un acteur central, entre l'évidence du fait matériel et la complexité de ses effets. Une même tension s'applique à la carrière de l'artiste, qui ne saurait être abordée avec justesse depuis un point de vue fixe ou selon une perspective centrale.

Heinz Mack, Otto Piene and Günther Uecker, "NUL," Stedelijk Museum, Amsterdam, The Netherlands, 1962

3. Entretien avec l'auteur, Mönchengladbach, 8 janvier 2016.

4. John Dewey, *L'Art comme expérience* [1915], Paris, Gallimard, 2005, p. 296.

5. Le 24 avril 1958, Klaus Jürgen-Fischer, artiste et auteur du journal *Das Kunstwerk*, présente cette vaste entreprise dans son discours d'ouverture de la septième *Abendausstellung* : « Das rote Bild » *[La Peinture rouge]* et constate : « [qu']il existe encore des champs d'expérimentation artistique complètement non-commerciaux et qui fonctionnent sans aucun but, sans programme établi, uniquement avec l'intention de montrer et de stimuler [...]. Je voudrais voir ces *Abendausstellungen* comme un tel champ d'expérimentation, avec l'accent mis non pas sur le travail accompli de l'art, mais sur le tube à essai dans lequel il est créé. »

En considérant le caractère rétrospectif des travaux – plus de soixante-dix, réalisés entre 1950 et 2016 – que j'ai réunis pour ce livre et cette exposition, l'artiste me confiait récemment : « J'ai toujours recherché la simplicité parce que le monde déborde d'images et celles-ci n'apportent que de la confusion. Mais cette simplification, précisait-il, ne saurait être assimilée à un appauvrissement : elle produit de l'énergie[3]. » Il s'agit donc pour l'artiste d'une véritable concentration, qui libère la force accumulée dans le cadre vivant de la relation établie avec à la fois l'observateur et l'espace alentour. L'œuvre s'oppose ainsi à diverses logiques, comme la figuration et l'imagerie en général, mais aussi à ces deux courants opposés, en vogue dans les années 1950, lorsque Mack définit les axes de sa pratique : l'abstraction lyrique d'une part et l'art concret d'autre part. Considérant leurs portées esthétiques respectives trop limitées, il préfère alors se situer dans un entre-deux, aussi apollinien que dionysien. Quelques décennies avant ces expérimentations, John Dewey pointait cet équilibre entre baroque et classique dans son recueil *Art as Experience* (1915), en dénonçant une autre dissociation traditionnelle : celle qui aurait lieu entre la perception et son objet, au motif que l'une et l'autre ne se définiraient que dans la continuité d'une seule et même opération[4]. Précisément, l'œuvre de Heinz Mack se fonde sur la réciprocité de l'objet d'art, ceci non seulement avec son observateur, mais aussi avec les particularités lumineuses et spatiales de son milieu physique de présentation. Cette donnée, à proprement parler expérientielle – plutôt qu'« expérimentale » – et contextuelle, est fondatrice de l'esprit qui anima ZERO, que Mack façonna dès 1957, avec Otto Piene, à la fois comme un groupe d'artistes et comme une entité internationale à géométrie variable, comprenant des artistes de pays tels que l'Allemagne, la France, les Pays-Bas, la Belgique, l'Italie, la Suisse ou encore le Japon. ZERO s'articule autour de nombreuses expositions, manifestations et publications. En 1957, Mack et Piene organisent une série *d'Abendausstellungen*[5], qui imposent d'emblée ZERO comme une structure ouverte, ceci dans leur studio commun, situé sur la Gladbacher Strasse, à Düsseldorf. Ces événements publics intègrent non seulement leurs propres œuvres, mais aussi celles d'artistes partageant les mêmes idées. Mack impose alors un modèle précoce d'artiste-commissaire, soucieux de défendre non seulement ses propres réalisations, mais aussi celles de ses confrères ayant des objectifs similaires. Chez la plupart d'entre eux, reviennent constamment les questions conjointes du relief et de « l'idéal monochrome ». Mack vise, quant à lui, à déployer dans l'espace et le temps réels la couleur seule ou, autrement dit, une seule couleur à la fois, de préférence le blanc, le noir ou le gris (*Structure Dynamic Blanc*, 1958 [p. 146], *Weisse Vibration*, 1958 [p. 126-127], *Weisser Rhythmus*, 1958 [p. 57], *Ohne Titel*, 1960 [p. 161]), mais aussi, plus rarement, d'autres valeurs comme le rouge (*Ohne Titel*, 1958), le bleu (*Vibration im Blau*, 1959 [p. 154-155]) et des demi-teintes (*Ohne Titel*, 1957-1958). Son projet esthétique, en 1958, est des plus précis : « Je donne une vibration à la couleur, ce qui signifie que je donne une structure à la couleur ou que je donne à la couleur sa forme. Quoi qu'il en soit, on ne peut plus parler de créer une forme au sens classique du terme[6] ». L'abstraction lyrique, que Mack regarde de près au début des années 1950, lui paraît alors trop redevable, par sa vive polychromie et sa gestualité supposément débridée, à l'histoire de la peinture.

Dans les *Metalreliefs* ou *Lichtreliefs* de Mack, la dialectique constante entre ordre et chaos, grille et nuée, matière et lumière s'avère résolument abstraite[7]. Ces œuvres, autant d'ailleurs que les reliefs de sable, se font pourtant l'écho de l'activité des éléments naturels, de la lumière, du vent et de la pluie sur les étendues aquatiques ou désertiques. Le lien entre Heinz Mack et Yves Klein est ici essentiel. De leur rencontre, en 1956, naîtront une profonde amitié et de nombreuses collaborations, seulement interrompues par la mort de Klein, en avril 1962. La contribution de ce dernier à l'histoire du monochrome, tragiquement close, sera ainsi envisagée précocement. La contribution de Mack, quant à elle, bien que parfaitement contemporaine mais aussi clairement distincte, restera longtemps sous-estimée dans l'histoire du genre. Dans ses tableaux noirs, dont la matière joue avec la lumière, comme par exemple *Ohne Titel* (1957-1958 [p. 53, 54-55]), *Black & White* (1958 [p. 76-77]) ou *Das sehr schwarze Bild* (1961-1962 [p. 149, 150-151]), Mack s'empresse d'intégrer à la couche picturale la variation d'un rythme répétitif. À la manière de contretemps, d'innombrables accidents et autres irrégularités participent de ce véritable staccato – là où Klein privilégiait quant à lui une forme de continuité contemplative. Ces multiples micro-ruptures découlent de la réalisation à main levée que Mack juge nécessaire afin d'éviter l'ornement. Non loin de cette série radicale – qui préfigure par ailleurs les *Outrenoirs* de Pierre Soulages, ou en est parfaitement contemporaine –, on trouve ses *Sandreliefs*, comme *Sandrelief-Sandwellen* (1958 [p. 50]) ou *Grosses Sandrelief* (1962-1970 [p. 132-133]), dont l'alternance régulière des creux et des saillies ainsi que la surface granuleuse résultent du passage d'un simple stylet ou d'une règle dentelée (dont l'artiste façonne d'ailleurs plusieurs modèles, en fonction du format de l'œuvre et du rythme qu'il veut imprimer), de tels outils, traditionnellement associés à la sculpture, se substituant ici à ces outils du peintre que sont le pinceau et le couteau. Le résultat général de ce processus évoque bien sûr la surface pulvérulente des monochromes IKB de Klein ou encore celle des textiles plissés puis peints par Piero Manzoni pour ses « Achromes ». Mais la part dynamique, le jeu des ombres et des lumières distinguent le travail de Mack, comme le rôle accordé au hasard, par exemple dans un étrange relief horizontal intitulé *Sahara-Sandtsisch* (1972 [p. 88-89, 91]), simplement constitué de sable sec ramené d'un séjour dans le désert, que l'artiste enferme dans une boîte de plexiglas et dont l'apparence évolue au gré de chaque déplacement et de chaque basculement. C'est non seulement un fragment de désert qui semble avoir été déplacé dans le champ de l'art, mais aussi la variabilité jamais interrompue de son apparence.

Les œuvres en aluminium de Mack sont l'évolution directe des monochromes. Elles sont embossées manuellement à l'aide d'un stylet et d'une règle – la feuille est ensuite fixée sur un panneau de bois pour la rigidifier. « Je ne voyais plus le relief de métal, mais une structure vibrante et palpitante, faite de lumière, explique

6. Heinz Mack, « Die neue dynamische Struktur », *ZERO I*, 1958, n. p.

7. Les œuvres à caractère figuratif se comptent sur les doigts de la main chez Heinz Mack. Non sans faire écho aux intégrations architecturales de Henri Matisse, il est notable que ces rares exceptions, au cours des années 1970, s'inscrivent dans le cadre de commandes réalisées pour des églises. Heinz Mack se dit athée et existentialiste – il souligne volontiers l'influence déterminante de Jean-Paul Sartre dans les années 1950 –, et considère les églises comme des « espaces d'émanation sacrée, où il est possible de se rencontrer soi-même ».

Retrospective at Musée
d'Art moderne de la ville
de Paris, France, 1973

German Pavilion at the
35th Venice Biennale,
1970

Akademie der Künste,
Berlin, Germany, 1972

l'artiste. Il me semblait que cette structure planait sur le relief de métal, comme si elle s'en détachait, comme la réflexion de la lumière sur la mer commence à vibrer sous un soleil intense, prenant l'apparence d'un tapis de lumière fait des reflets d'une lumière dansante[8]. » Un tel récit, mais aussi bien d'autres, révèle chez l'artiste une fascination exceptionnelle pour la lumière, que Dieter Honisch a présentée comme un protagoniste à part entière de l'œuvre. L'historien de l'art, en faisant remonter la généalogie de ces reliefs métalliques à l'impressionnisme et au néo-impressionnisme, formulait ainsi sa pensée : « [Mack] ne fait pas le portrait de la lumière. Au lieu de cela, il la force à se révéler elle-même, à être partie prenante de la création d'une qualité optique particulière. Dans ses reliefs optiques, la lumière apparaît rassemblée, concentrée, fortifiée, renforcée, intensifiée ou, en un mot : portée par un pouvoir de fascination qui n'existe nulle part ailleurs[9]. » En d'autres termes, par le biais d'une matrice matérielle et tangible, Mack vise à amplifier l'essence ondulatoire, rythmique et vibratoire du phénomène lumineux naturel. *Interferenzen. Integrale Elemente für einen virtuellen Raum* (1966) [p. 58-59] concentre ces enjeux, tant par l'espace qu'elle occupe que par celui qu'elle active de ses reflets. Constituée de neuf éléments répondant à une grille verticale, dont un tableau et huit suspensions, l'installation comprend également un sol réfléchissant de format carré et plusieurs projecteurs lumineux. Les matériaux et couleurs sont simples (acier inox, plexiglas peint alternativement en noir ou en blanc) mais leurs jeux d'interférence, de rotation, de transparence, d'opacité et de reflets génèrent

8. Heinz Mack, cité par Yvonne Schwarzer, *Das Paradies auf Erden schon zu Lebzeiten betreten. Ein Gespräch mit dem Maler und Bildhauer Heinz Mack* (notre traduction), Witten, ars momentum Kunstverlag GmbH, 2005, p. 15.

9. Dieter Honisch, *Mack. Skulpturen 1953-1986*, Düsseldorf/Vienne, Econ Verlag, 1986.

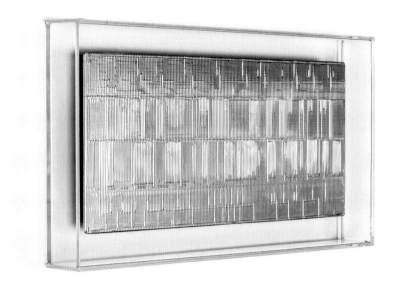

un puissant vertige perceptif : le champ de l'objet s'ouvre sur l'espace, et tout repère matériel, au sens traditionnel de la sculpture, se trouve aboli. Là où László Moholy-Nagy concevait encore le déploiement spatio-temporel de son *Licht-Raum Modulator* (1922-1930) de façon composée, Mack conduit sa sculpture aux limites de la simplification, du battement formel, vers une forme de déréalisation paradoxale. *Weisser Drahtkasten* [p. 67], réalisée en 1959, représente une étape importante de l'évolution qui mène Mack de la peinture – certes radicale, mais encore en lien avec le matiérisme – vers ce type de sculpture pleinement cinétique. L'œuvre est ainsi constituée de grilles, parfois pliées en deux, et recouvertes d'une épaisse couche de peinture blanche dont la matière visible traduit l'attachement de l'artiste, encore patent, à l'art informel. Toutefois, et c'est là que la transition se fait sentir, ces grilles, dont l'une est motorisée, se déploient dans l'espace immaculé de la boîte qui les contient, illuminée de l'intérieur, et jouent entre elles. L'œil se retrouve piégé dans les arcanes du dispositif, pris dans ses filets optiques. Mack utilise dès 1961 un autre élément industriel préfabriqué, utilisé dans l'aéronautique : une structure métallique dite en « nid d'abeille ». Celle-ci est à la fois aérée, extensible et réfléchissante. Elle lui permet de mener plus avant les jeux de transparence et de reflets entamés en 1958, mais aussi de développer une forme de composition inédite, à résonance picturale, produite par le resserrement ou l'étirement de ce treillis. Ce matériau, maintenu entre des plaques de verre, est ainsi employé pour des reliefs muraux ou des stèles, voire des paravents (*Paravent für Licht*, 1970 [p. 63, 64-65]), lesquels sont souvent ouverts sur leurs deux faces (*Lichthaus für Bienen*, 1966), précisément afin de laisser à la fois la lumière et le regard circuler librement à travers elles – plutôt que de les stopper ou de les réfléchir. Parmi ces œuvres, se distingue *Licht-Reflektor* (1965), une boîte renfermant une lentille de Fresnel, laquelle semble, à mesure de nos déplacements, se creuser ou se gonfler en alternance, tout en décomposant la lumière dans toutes les couleurs du spectre. Car ce n'est pas seulement la *couleur seule* qu'emploie Mack ou, plus exactement, les « non-couleurs », c'est-à-dire le noir, le blanc et le gris, telles que prescrites par Piet Mondrian, en ce que celles-ci peuvent tout à fait coexister avec la totalité des valeurs chromatiques.

Depuis 1991, Mack se consacre à une peinture sans relief matériel et à une polychromie vivace, lesquelles avaient été si longtemps exclues de sa pratique, et s'engage dans la réalisation de tableaux volontiers de grand format tels que *Die Musik (Chromatische Konstellation)* (1998) [p. 136-137] ou *Grosse Kontemplation (Chromatische Konstellation)* (2002) [p. 71], qui entretiennent un dialogue nourri avec les découvertes de Goethe sur le spectre lumineux et le caractère nébuleux du pigment. Pourtant, en 1955-1957, *Farbstufen* [p. 166-167], un étonnant relief constitué de peinture sur bois, gypse et cuivre, montre chez l'artiste une contiguïté rare, surtout dans les années 1950, entre la forme en saillie et la décomposition systématique du spectre coloré – une « constellation », pour reprendre le vocabulaire volontiers cosmogonique de l'artiste. Sans qu'il soit cette fois question de couleur pigmentaire, de peinture ou de relief, une œuvre telle que *Rondo* (1963-1968) [p. 97, 100-101], qui s'inscrit quant à elle dans la catégorie du mobile – au sens caldérien – fait ainsi se déployer dans l'espace, suspendus à des fils telle une constellation scintillante, des disques embossés en aluminium, des tiges en inox et un cylindre de plexiglas. Certains tableaux, comme *Rotationsbild* (1953, perdu) et *Ohne Titel* (2015) [p. 45], donnent aussi l'impression d'un pont chronologique entre deux périodes : l'artiste poursuit l'exploitation picturale du rotor, lequel figurera à de multiples reprises dans le cadre d'œuvres plus explicitement cinétiques telles que *Luftsäge* (1955) [p. 43], un simple disque de métal dentelé servant à la coupe du bois, amputé de la moitié de ses dents afin de lui imprimer un rythme supplémentaire. Cette tautologie de l'outil faisant œuvre, sorte de *ready-made* arrangé, se fait d'ailleurs l'écho de quelques réalisations antérieures, comme un surprenant dessin sur papier (*Ohne Titel*, 1950 [p. 21]) exécuté par Mack durant sa première année aux Beaux-Arts de Düsseldorf et qui consiste simplement en une succession horizontale de lignes dentelées – ce qui constitue la première occurrence connue d'une structure

"Mack. Just Light and Colour," Sakip Sabanci Museum, Istanbul, Turkey, 2016

qui connaîtra maints développements chez l'artiste. Mentionnons également *Lamellen – Skulptur mit sieben Sägeblättern* (1954), qui présente, sur un socle en bois et sur des registres successifs, plusieurs lames de scie privées de leur manche. L'œuvre intitulée *Der Garten im Garten* (1979-1980) [p. 164-165] revêt quant à elle un statut particulier : elle se déploie tel un immense panneau translucide, enfermant dans son épaisseur différentes formes uniquement nées de la manipulation, à plat, de cette maille industrielle évoquée plus haut (dont les alvéoles hexagonales vont, selon le modèle, d'une taille de quelques millimètres à un centimètre). Outre son titre, qui envisage le jardin comme un substrat de paysage *[Le Jardin dans le jardin]*, cette œuvre, parmi d'autres panneaux monochromes de Mack, rappelle l'influence initiale de Jean Arp et de ses reliefs abstraits, aux formes à la fois strictement abstraites et hautement évocatrices. En général, Mack dispose ces œuvres le plus souvent devant un mur blanc ou une fenêtre de façon à ce qu'elles jouent pleinement leur rôle de filtres ou de modulateurs, se refusant ainsi à circonscrire et à figer le regard. Mack pense ainsi une « œuvre ouverte » (U. Eco), qui ne serait plus autonome et fermée sur elle-même mais, au contraire, profondément contingente parce que dépendante de son contexte variable, au gré des variations des conditions spatio-lumineuses et des déplacements erratiques de l'observateur. C'est également le cas, mais selon un protocole formel plus simplifié et radical, de *Spiegelwand für Licht und Bewegung* (1960-1966) [p. 94-95], une œuvre envisagée initialement par l'artiste pour l'exposition éponyme organisée par Harald Szeemann[10]. Destinée à être présentée seule au milieu d'une salle, cette maquette est une sculpture en soi, mais dont les effets spatiaux dépassent de loin sa simplicité matérielle. Il s'agit ici d'une cloison entièrement constituée de dizaines de miroirs rectangulaires verticaux, dont la courbe en « S » s'élève sur un socle peint uniquement de bandes parallèles, alternativement blanches et noires. Ainsi l'image régulière des lignes du sol, autant que la figure de l'observateur, se trouve diffractée, démultipliée et distordue, rendant soudain incertaines les données de l'espace alentour.

Cette élaboration d'une apparence changeante, qui s'oppose à la fixité traditionnelle du tableau, est donc indissociable, chez Mack, d'une forte résonance paysagère. Elle inscrit l'artiste dans le sillage des expérimentations précoces de Piet Mondrian dans les années 1910, qui le mènent du tableau de paysage vers une abstraction radicale, tout particulièrement dans *Composition n°10 – Pier and Ocean* (1915). On y voit une forme aérienne aux contours incertains, qui est constituée essentiellement de fins traits horizontaux et verticaux disposés dans le ciel. Cette dialectique, entre géométrie essentialiste et entropie atmosphérique, s'applique également aux reliefs métalliques de Mack dès 1958, comme par exemple *Lamellenrelief* [p. 99, 102-103] ou encore *Das Meer I – Licht-Relief* [p. 182-183, 185], au titre tout à fait explicite (*das Meer* signifie *la mer* en allemand), tous deux réalisés en 1963. La démultiplication et les variations imprévisibles de leurs reflets lumineux font osciller l'œuvre entre l'objet matériel et une véritable nuée scintillante, portant ainsi les motifs peints à l'huile sur toile du peintre hollandais vers une dimension proprement « phénoménale » et spatialisée. Ce dialogue entre la structure, permanente, et la dynamique changeante des éléments naturels est de l'ordre du paysage. Toutefois, il ne s'agit pas ici d'un paysage au sens classique, arboré et peuplé, hérité de la peinture flamande du XVIIe siècle, mais du paysage sans repères, constitué d'étendues désertiques, qu'elles soient marines ou minérales, situées dans l'Arctique ou dans le Sahara, où l'artiste réalisera, dès 1955, de nombreux voyages et projets. À ces contrées inhospitalières, dont le relief est façonné par les forces naturelles – vagues de dunes, glaciers et icebergs translucides –, l'artiste accorde un statut de cadre *ad hoc* pour la présentation de ses œuvres, ouvrant ainsi la voie au land art américain en général et à un artiste comme Robert Smithson en particulier[11]. Il en va de même pour les fascinants collages

10. « Licht und Bewegung » s'est tenue en 1965 à la Kunsthalle de Baden-Baden, à la Kunsthalle de Berne, puis au Palais des beaux-arts de Bruxelles.

11. Robert Smithson (1934-1973), dont on peut mentionner par exemple *Yucatan Mirror Displacements* (1969), a fort probablement découvert l'œuvre de Heinz Mack dès 1964, lors la préparation de l'exposition « The Responsive Eye » au Museum of Modern Art de New York (comme en témoignent ses courriers à William Seitz, le commissaire de l'exposition, déposés aux archives du musée).

photographiques de Mack qui évoquent ceux, contemporains, d'Archigram ou de Hans Hollein. Créant un jeu d'échelle et laissant les traces du « trucage » clairement visibles, l'artiste transpose dans un cadre naturel ses propres sculptures, comme c'est le cas d'*Entwurf für eine Lichtpyramide* (1964) [p. 135], une sculpture formée de huit triangles d'inox, simplement pliés en leur milieu et disposés l'un derrière l'autre, du plus petit au plus grand. Les moyens mis en œuvre sont aussi dérisoires que l'objectif est, au sens premier du terme, phénoménal : la lumière et les reflets sont captés puis renvoyés par la sculpture, menant celle-ci vers une quasi-disparition, de la même façon que ces pyramides, qui semblent aiguisées comme des couteaux, se déploient dans l'espace de façon majestueuse et menaçante. Comme avec ses colonnes, recouvertes de feuille d'or jaune pour *The Sky over Nine Columns* (2013) [p. 120-121] ou d'or blanc pour *Silber-Stele* (2012-2014), dont les surfaces finement embossées jouent avec la lumière du soleil, Mack propose au regard mobile un modèle de monumentalité dynamique.

Chez Mack, du moins avant les années 1990 et dans de nombreuses réalisations en relief, la grille perspective se voit écrasée, et les coups de brosse du *sfumato* de Léonard de Vinci font place à l'acception moderne du *Trübe* goethéen : le « trouble rétinien ». Pour Konrad Fiedler, cette logique privilégiant le trouble n'est en aucun cas préjudiciable à la connaissance. Elle serait même, au contraire, son préalable nécessaire. « Une des intuitions qui permet à l'homme de pénétrer dans une sphère supérieure d'existence spirituelle, écrit Fiedler, est celle par laquelle il perçoit dans sa richesse infinie et sa complexité changeante, l'apparence des choses qu'il avait acceptée jusqu'alors comme simple et évidente. L'activité artistique commence au

12. Konrad Fiedler, « Du juge-
ment des œuvres d'art plas-
tique », in *Über die Beurtei-
lung von Werken der bildenden Kunst*, Leipzig, 1876,
Verlag von Hirzel ; trad. en
français par Erika Dickenherr
et Alain Pernet, in Roberto
Salvini (dir.), *Pure visibilité et
formalisme dans la critique
d'art au début du XX*, Paris,
Klincksieck, 1988, p. 62.

13. « Pour ébranler le "dogma-
tisme perceptif", écrit Fiedler,
il faut commencer par en pren-
dre conscience (II, 235). D'où
le scepticisme qu'engendrent
le vertige de la suspension de
l'attitude naturelle (II, 236),
la régression volontaire vers
un état d'insécurité absolue :
"C'est ainsi désarmé que l'on
affronte le monde visible" (II,
237). Ce *dubito* méthodo-
logique fait alors apparaître
le phénomène comme une
énigme insoluble (I, 259) », in
Philippe Junod, *Transparence
et opacité. Essai sur les fondements théoriques de l'art
moderne*, Nîmes, Éditions
Jacqueline Chambon, 2004,
p. 217-218.

14. Voir *supra*, note 2.

15. *Monodique* est un terme
musical. Par opposition à *poly-
phonique*, il qualifie une voix
qui n'émet qu'une seule note
à la fois.

16. Anton Ehrenzweig, *L'Ordre caché de l'art* [1974],
trad. de l'anglais par Francine
Lacoue-Labarthe et Claire
Nancy, Paris, Gallimard, 1982,
p. 83.

17. *Ibid.*, p. 110.

moment où l'homme se trouve confronté à l'apparence visible du monde comme à une énigme infinie[12]. » Pour le philosophe, la réduction au visible pur n'est pas une fin en soi, et le doute assume en quelque sorte une fonction propédeutique, préalable à l'acquisition du savoir. Si Philippe Junod voit dans cette pensée une anticipation de la *Gestalttheorie*, il est possible d'y voir également une préfiguration de l'œuvre de Mack[13], pour qui le rapport à l'œuvre n'est plus de l'ordre de l'absorption passive mais de la participation active, laquelle passe nécessairement par une perte des repères usuels. C'est là que le mot « DYNAMO », qui revient régulièrement dans les titres d'expositions et les publications de ZERO dès 1957[14], prend un sens particulier : l'œuvre se doit non seulement d'être « dynamique », c'est-à-dire mue par une force interne, mais aussi « dynamogène » ou, autrement dit, à même de susciter visuellement chez l'observateur une réaction motrice, une mise en branle de sa mécanique perceptive.

Dans *L'Ordre caché de l'art* (1967), Anton Ehrenzweig récuse l'idée que l'art moderne ne serait que le lieu de l'illogique, de l'irrationnel ou encore qu'il serait l'expression d'un inconscient désordonné, un chaos qu'une « bonne forme », plaquée par l'artiste ou par le spectateur, viendrait structurer. Se fondant à de nombreuses reprises sur les exemples conjugués de Jackson Pollock et de Bridget Riley, le spécialiste de la *Gestalttheorie* en propose le postulat inverse : ces apparences indistinctes cachent en réalité une forme d'articulation plus profonde, un ordre sous-jacent : « La raison peut paraître temporairement mise à l'écart, et l'art moderne paraît alors réellement chaotique. Mais le temps fait monter à la surface l'"ordre caché" dans la substructure de l'art (le travail de la création inconsciente de la forme). L'artiste s'attaque bien à sa propre raison et à la pensée monodique[15], mais un ordre nouveau est déjà en gestation[16]. » Il s'agit pour Anton Ehrenzweig d'adapter notre mode de vision à cette logique nouvelle. Pour cela, il propose de renoncer à l'emploi de procédés traditionnels d'analyse de l'œuvre, notamment la focalisation sur les détails, au bénéfice d'une vision englobante et syncrétique des événements visuels. Il qualifie de « scanning inconscient » le mode de « balayage »[17] qui permet, par exemple aux enfants ou à certains psychotiques, de percevoir immédiatement des structures complexes et ordonnées. Une conduite esthétique plus adaptée, selon lui, aux tableaux d'entrelacs de Pollock mais aussi, nous le pensons, aux peintures et

Galerie Diogenes, Berlin,
Germany, 1960

18. *Ibid.*, p. 110.

19. *Ibid.*, p. 111.

20. Michael Fried, « Art and Objecthood », *Artforum*, 1967, repr. in Gregory Battcock (éd.), *Minimal Art. A Critical Anthology* [1968], Berkeley, University of California Press, 1995, voir p. 116-147.

21. Taine développe cette idée d'une vision non plus centralisée mais dispersée, condition de cette sensation d'évanouissement : « Dans une impression ou groupe d'impressions qui se présente un grand nombre de fois, notre attention finit par se porter tout entière sur la portion intéressante et utile ; nous négligeons l'autre, nous ne la remarquons plus ; nous n'en avons plus conscience ; quoique présente, elle semble absente. Telles sont les petites sensations musculaires produites par l'adaptation de l'œil aux différentes distances ; elles sont les signes de ces distances ; c'est par elles que nous imaginons la proximité ou l'éloignement plus ou moins grand des objets. [...] [Si] parfois elles nous frappent, c'est en s'exagérant, par exemple lorsque, obligés de lire de trop près ou de trop loin, nous éprouvons dans les muscles de l'œil une fatigue notable ; hors de ces cas, elles sont invisibles, et comme évanouies. » Hippolyte Taine, *De l'intelligence*, Paris, Librairie Hachette et Cⁱᵉ, 1870, 2ᵉ édition, p. 68.

22. Taine, *ibid.*, p. 69.

reliefs systématiques de Heinz Mack, permettrait « de ne pas nous sentir attaqués et éprouver le malaise aigu qui est lié à l'angoisse inconsciente[18] » ; cette conduite consistant plus précisément à « abandonner notre conscience focalisatrice [...], les habitudes contractées en jugeant l'art traditionnel [et à] laisser notre œil dériver sans préoccupation de temps ou de direction, vivre toujours dans le moment sans essayer de relier la tache de couleur qui rentre à l'instant dans notre champ de vision à celles que nous avons déjà vues ou que nous allons voir. Si nous réussissons à susciter en nous-mêmes cet état indécis proche du rêve diurne, l'impression de malaise disparaît[19] ». Pour Ehrenzweig, la question de la maîtrise des émotions est centrale : la dépossession qu'entraîne l'absence de figures unifiées et identifiables, la déstabilisation visuelle et spatiale, si elle est acceptée par le sujet, peut faire disparaître le malaise et l'inconfort et nous faire « vivre dans le moment », à mille lieues toutefois du fameux « Presentness is grace » de Michael Fried dans son fameux essai « Art and Objecthood[20] » en 1967 : le moment présent dont il est question n'est pas figé, ni mobile, mais palpitant. À ce titre, la définition de la structure, chez Mack, est une donnée essentielle, qui mérite quelques précisions. L'homogénéité des éléments, même identiques, qui la composent est ainsi envisagée par l'artiste non comme un tout, ou encore comme une unité indistincte, mais comme une règle constamment remise en question par une myriade de variations, de glissements, d'accidents et d'événements lumineux. Autour de 1870, Hippolyte Taine s'est employé à qualifier cet évanouissement perceptuel de la forme, qui se produit notamment lorsque l'œil est soumis à ce type inhabituel de sollicitation et que le concept et le percept sont dissociés. Dans le cadre d'une étude portant sur les données visuelles de l'intellection et après avoir présenté une « loi générale » de l'attention, le philosophe qualifie d'« erreur de conscience » cet effet qui résulte d'une difficulté « optico-musculaire » à hiérarchiser le champ visuel et à évaluer les distances spatiales[21]. Selon lui, l'invisible et l'évanescent se produisent dès lors que la hiérarchie des éléments, au sein d'un champ visuel, est perturbée. Taine poursuit sa réflexion en prenant cette fois comme exemple une partition musicale, devenue, dans l'esprit d'un musicien, « un barbouillage noir [dont] les signes se sont effacés, [et dont] les sons seuls surnagent[22] ». Ces « sons », qui « surnagent », tels qu'ils sont produits par la conscience (et non constatés par elle), constituent en grande part le caractère défocalisé et ondulatoire des œuvres de Mack, que celles-ci prennent la forme d'un relief en métal, comme ceux évoqués plus haut, ou celles de tableaux et de dessins. Si des sons en étaient tirés, ceux-ci évoqueraient la musique répétitive et sérielle, qui émerge à la même époque.

L'expérience sensorielle, chez Mack, n'est jamais un protocole, une pure idée. La volonté de l'artiste de traduire la dynamisation et la fragmentation de l'expérience spatio-temporelle moderne s'ancre solidement dans la réalité tangible des matériaux, dans les traces innombrables d'un processus de réalisation résolument manuel et artisanal, allant du coup de pinceau à la découpe de l'acier inox. Un autre aspect, possiblement plus primitif, de la qualité dynamogène évoquée plus haut repose sur la croyance d'une transmission à l'observateur de l'action physique qui a vu naître l'œuvre. Si cette dynamique visuelle, qui domine l'œuvre de Mack dans sa totalité, se confond avec celle qui caractérise ZERO durant une courte période, c'est parce qu'elle émerge des ruines de la seconde guerre mondiale, d'une impérieuse nécessité de construire un monde nouveau, en rupture avec celui qui l'a précédé. Ce rapport au réel, à la fois démystifié et lumineux, interroge par ses processus une modernité dominée par le sentiment parfois écrasant d'une intensification des échanges sociaux et informatifs, d'une accélération du rythme vécu. Ainsi l'art de Mack s'impose aujourd'hui parce qu'il demeure irrémédiablement questionnant, dans une oscillation – un mouvement perpétuel ? – entre immobilité et accélération, matérialité et évanescence.

Luftsäge, 1955. Steel and wood, 134 cm, Ø 35 cm / 52³/⁴ in, Ø 13³/⁴ in

Ohne Titel, 2015. Acrylic on canvas, 176 × 185 cm / 69 $^{5/16}$ × 72 $^{13/16}$ in

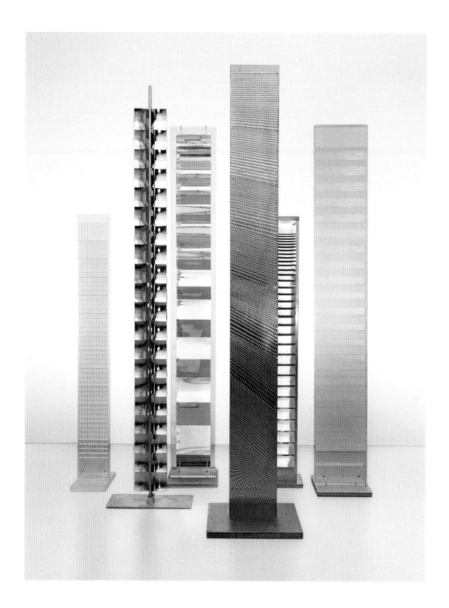

"Seeing through Light – Selections from the Solomon R. Guggenheim Museum,
Abu Dhabi," Solomon R. Guggenheim Museum, Abu Dhabi, United Arab Emirates, 2014

Weisse Marmorstele, 2012. White marble, 284 × 25 × 9.5 cm / 111¹³/¹⁶ × 9¹³/¹⁶ × 3³/⁴ in

Sandrelief – Sandwellen, 1958. Sahara sand, plaster, synthetic resin, wood, 131.5 x 31.5 x 6.5 cm / 54 3/4 x 12 3/8 x 2 9/16 in

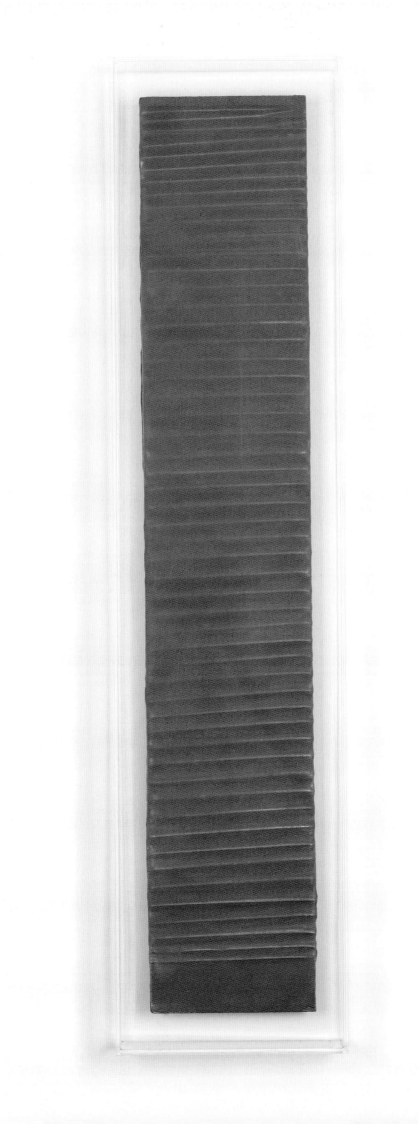

Ohne Titel, 1959. Synthetic resin on canvas, 212 × 130 cm / 83$^{7/16}$ × 51$^{3/16}$ in

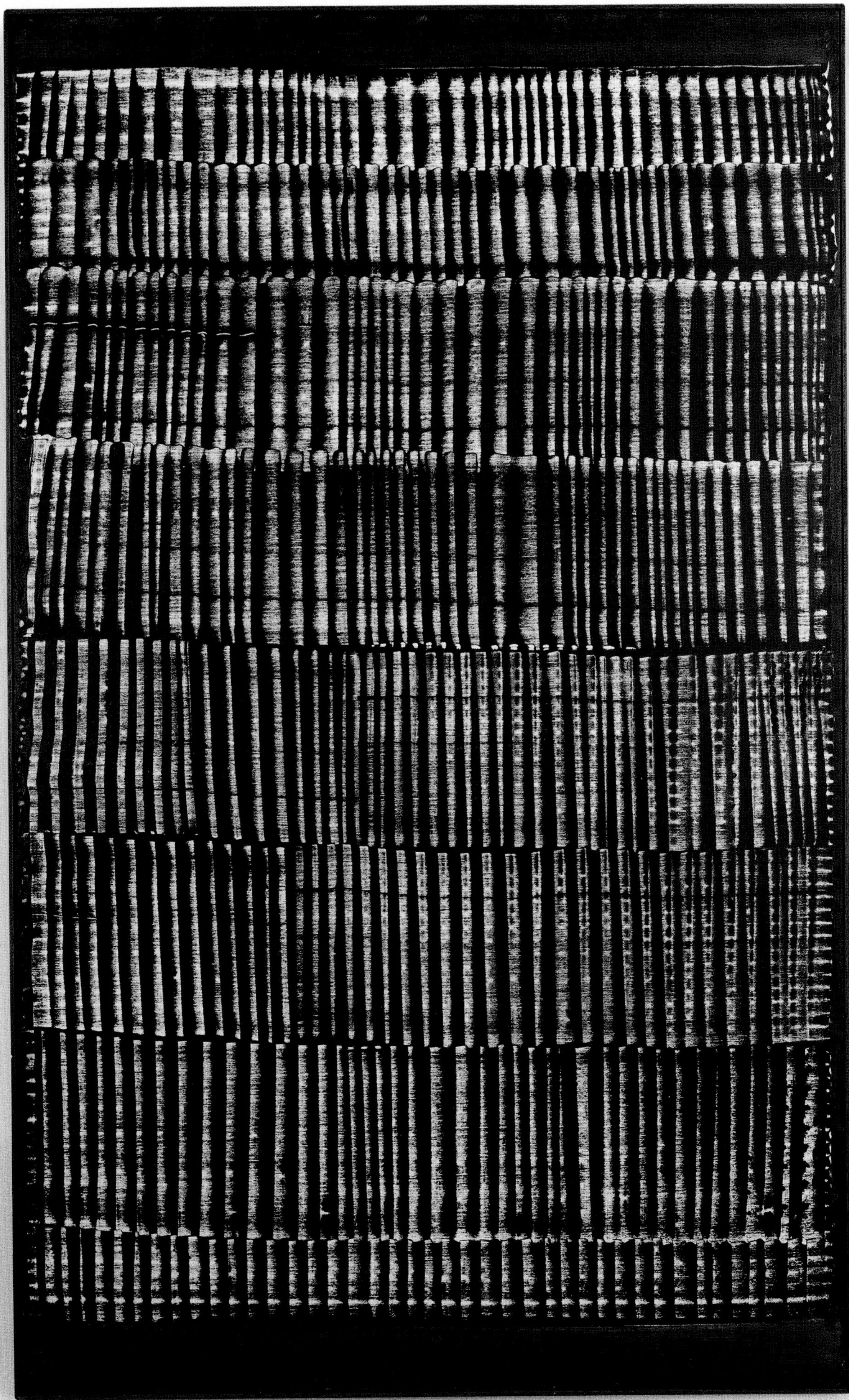

Weisser Rhythmus, 1958. Synthetic resin on canvas, 121 × 96 cm / 47⁵/⁸ × 37 ¹³/¹⁶ in

Next pages: *Interferenzen – Integrale Elemente für einen virtuellen Raum*, 1966-2004. Mirror, wood, plexiglass, variable dimensions. View of the installation at Frieder Burda Museum, Baden-Baden, Germany, 2015

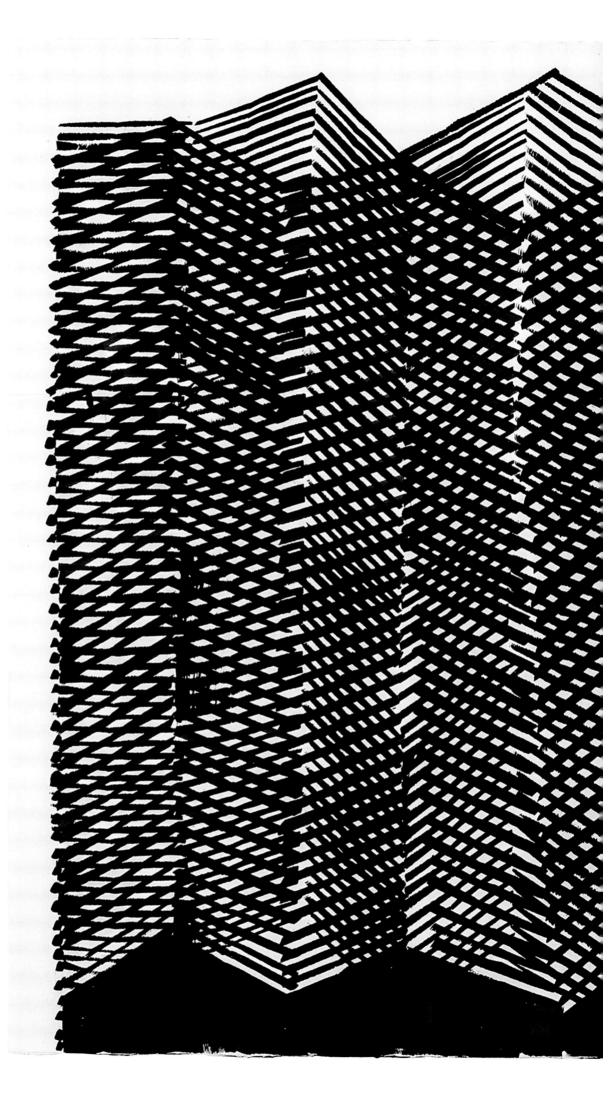

Previous pages: *Ohne Titel*, 2010. Indian ink on hand-made paper, frame, 130 × 166 cm / 51³/¹⁶ × 65¹¹/³² in

Paravent für Licht, 1970. Aluminum, stainless steel, plexiglass, 235 x 158.4 x 81.5 cm / 92¹/² x 62³/⁸ x 32 in

Weisser Drahtkasten, 1959. Chicken wire, motor, Styrofoam case, lamp, 46 × 35 × 34 cm / 18 1/8 × 13 3/4 × 13 3/8 in

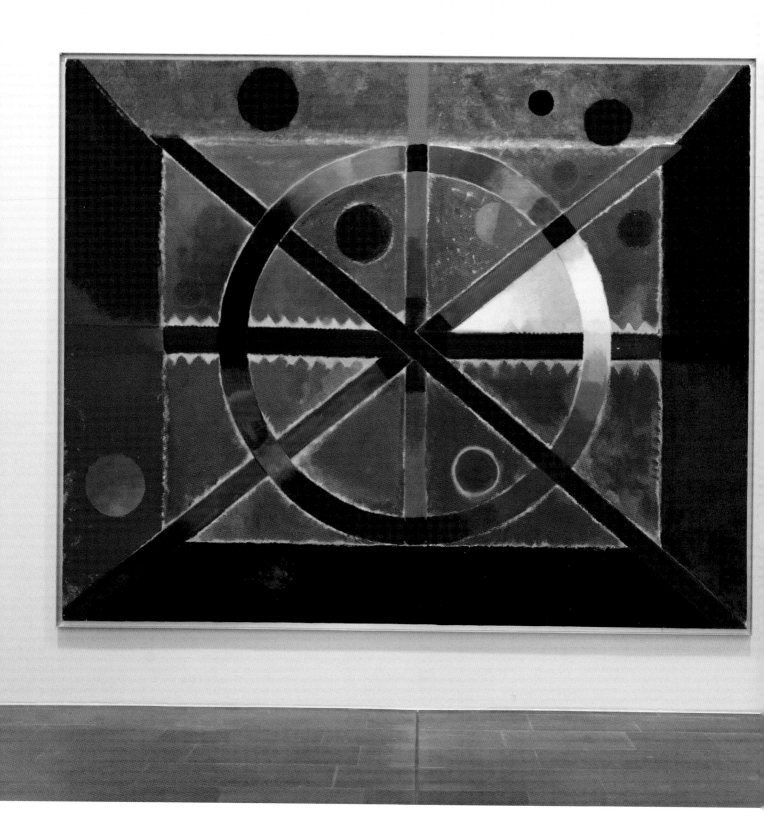

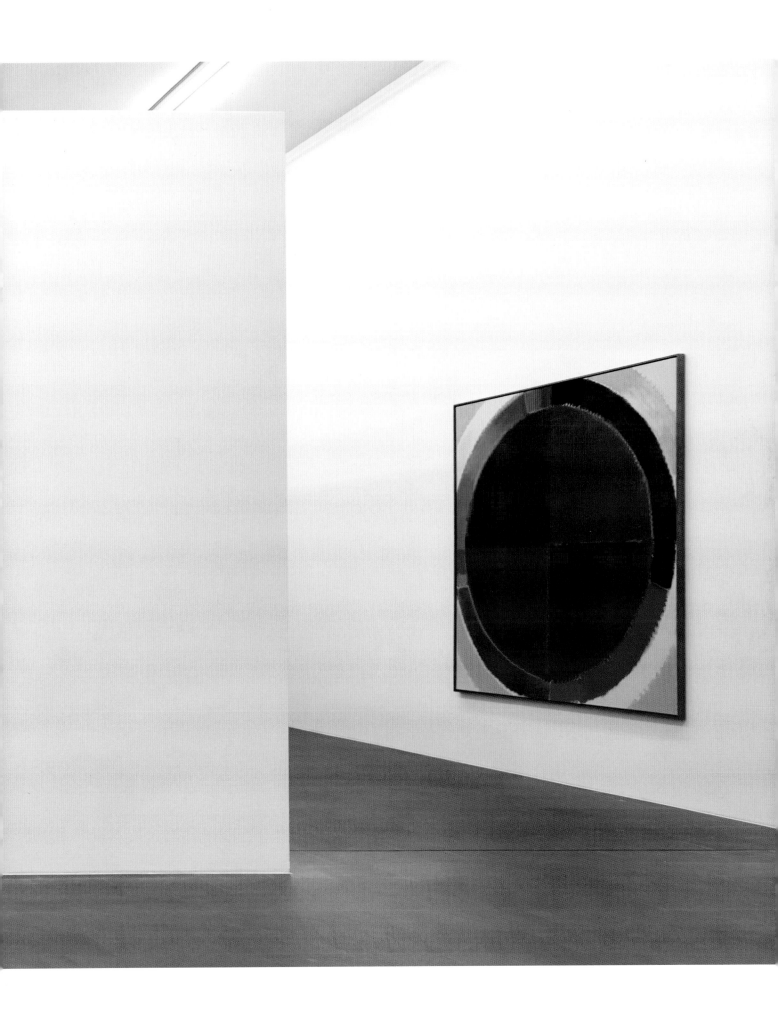

Grosse Kontemplation (Chromatische Konstellation), 2002. Acrylic on canvas, 260 × 210 cm / 102 3/8 × 82 11/16 in

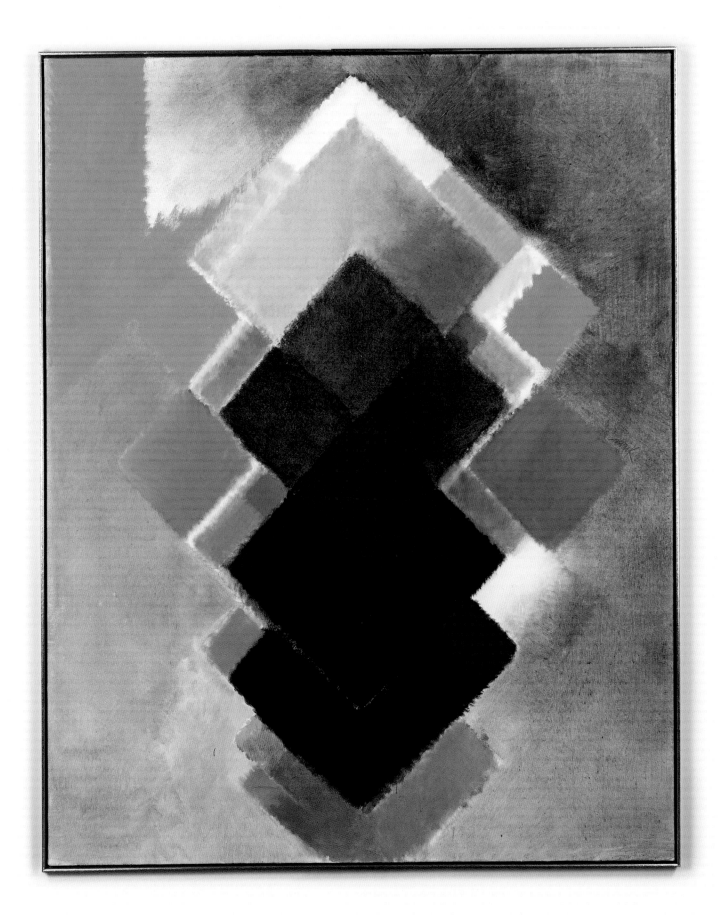

Galerie Denise René, Paris, France, 1967

Previous pages:
"Heinz Mack. Light – Space – Colour," Kunst- und Ausstellungshalle der Bundesrepublik Deutschland, Bonn, Germany, 2011

Glas-Kubus, 1964. Plexiglass, 69 × 67 × 67 cm / 27 $^{3/16}$ × 26 $^{3/8}$ × 26 $^{3/8}$ in

Previous pages:
Black & White, 1958. Resin on canvas, 133.5 × 205.5 cm / 52 $^{9/16}$ × 80 $^{7/8}$ in

Gesetz der Freiheit, 1973. Aluminum, 137 × 102 × 4.5 cm / 53 $^{15/16}$ × 40 $^{5/32}$ × 1 $^{25/32}$ in

Lichtskulptur (detail), 2001 (replica of the lost original model from 1976). Embossed, anodized, silver-colored aluminum, stainless steel, 96 × 185 × 86 cm / 37$^{13/16}$ × 72$^{13/16}$ × 33$^{7/8}$ in

Silberrelief, 1965. Embossed aluminum on wood, 206 × 203 × 12.5 cm / 81$^{1/8}$ × 79$^{15/16}$ × 4$^{15/16}$ in

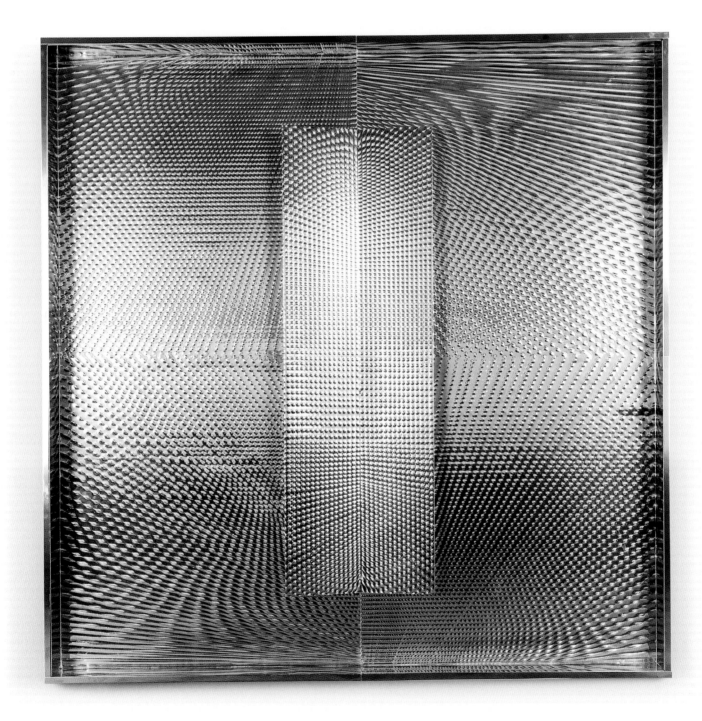

Ohne Titel, 1958. Plaster on wood, plexiglass cover, 62 × 84.5 × 8.5 cm / 24$^{7/16}$ × 33$^{1/4}$ × 3$^{3/8}$ in

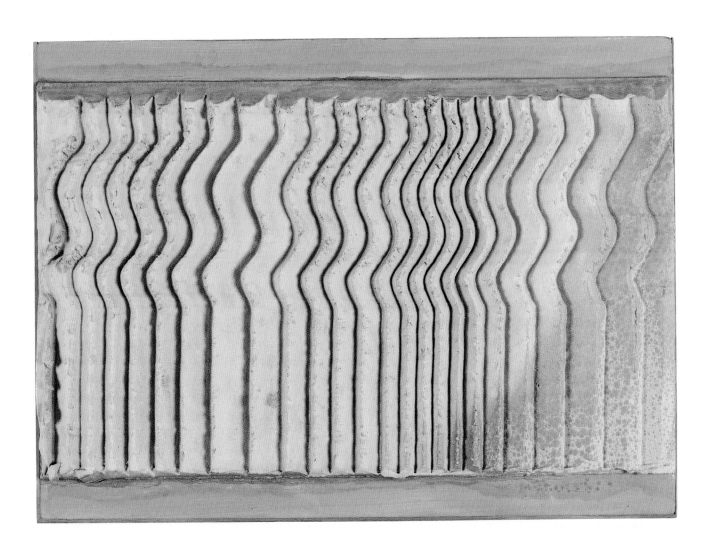

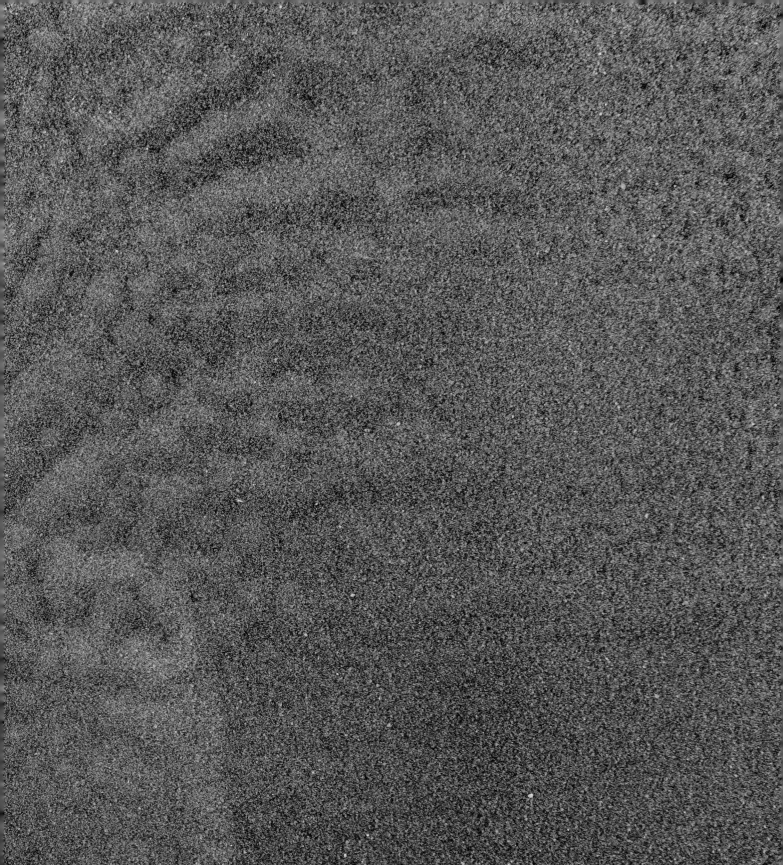

Sandtisch, 1972. Sahara sand, plexiglass, 110 × 110 × 52 cm / 43$^{5/16}$ × 43$^{5/16}$ × 20$^{1/2}$ in

Left: Heinz Mack in the Grand Erg Oriental, 1976

Ohne Titel (Chromatische Konstellation), 2013. Acrylic on canvas, 155 × 161 cm / 61 1/32 × 63 3/8 in

Next pages: *Spiegelwand für Licht und Bewegung (Modell für ein monumentales Project)*, 1960-2015.
Stainless steel, mirrored glass, wood, 117.5 × 210.5 × 135 cm / 46 1/4 × 82 7/8 × 53 1/8 in

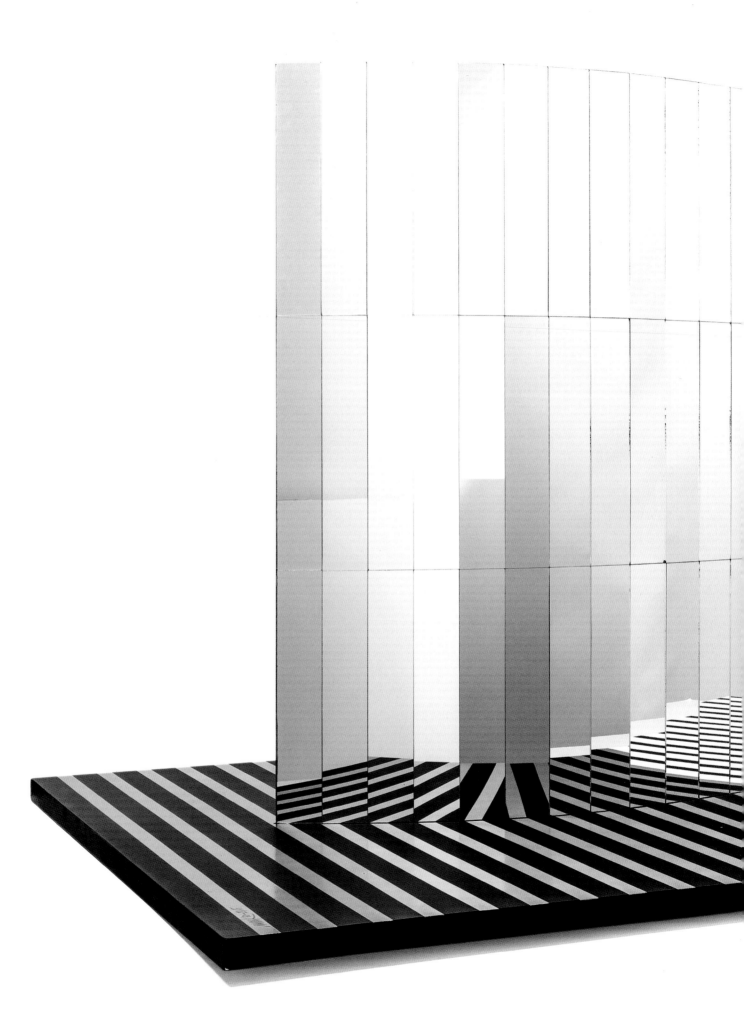

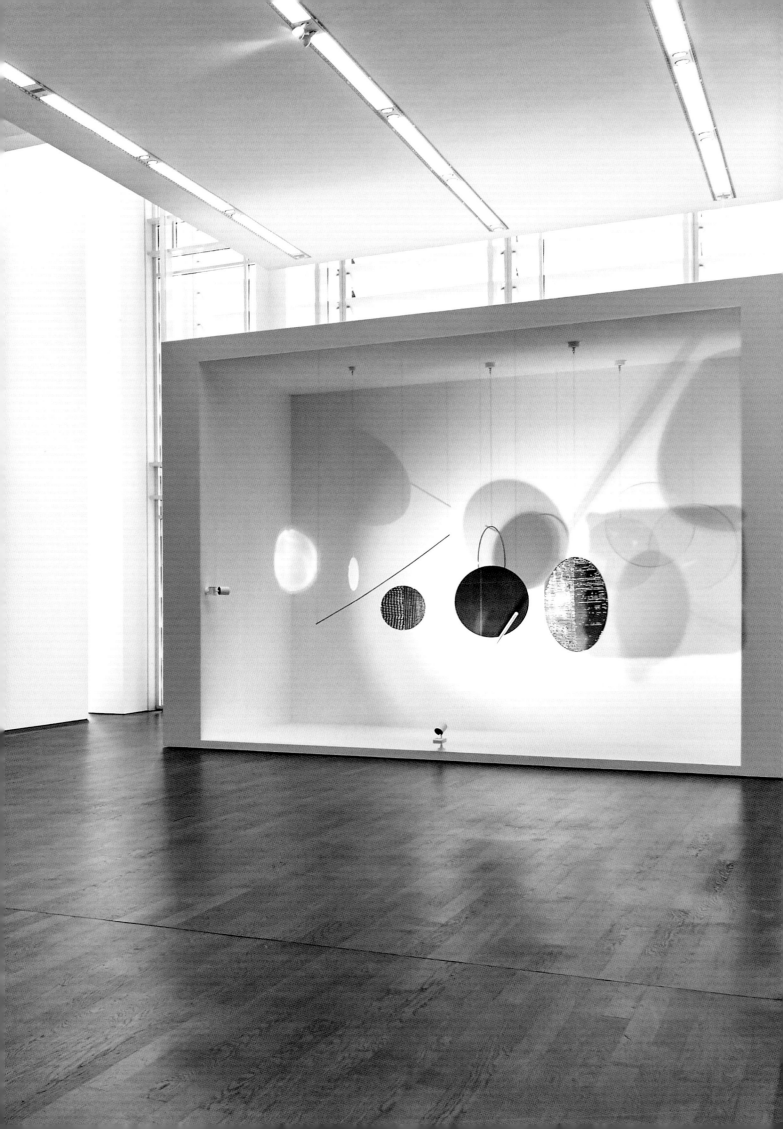

Previous pages: "Heinz Mack. Licht Schatten," Museum Frieder Burda, Baden-Baden, Germany, 2015

Lamellenrelief, 1963. Aluminum, wood, plexiglass, 140 × 95 × 2 cm / 55 1/8 × 37 13/32 × 1 in

Next pages: *Rondo*, 1963-1964. Aluminum, wood, stainless steel, nylon, plexiglass, variable dimensions

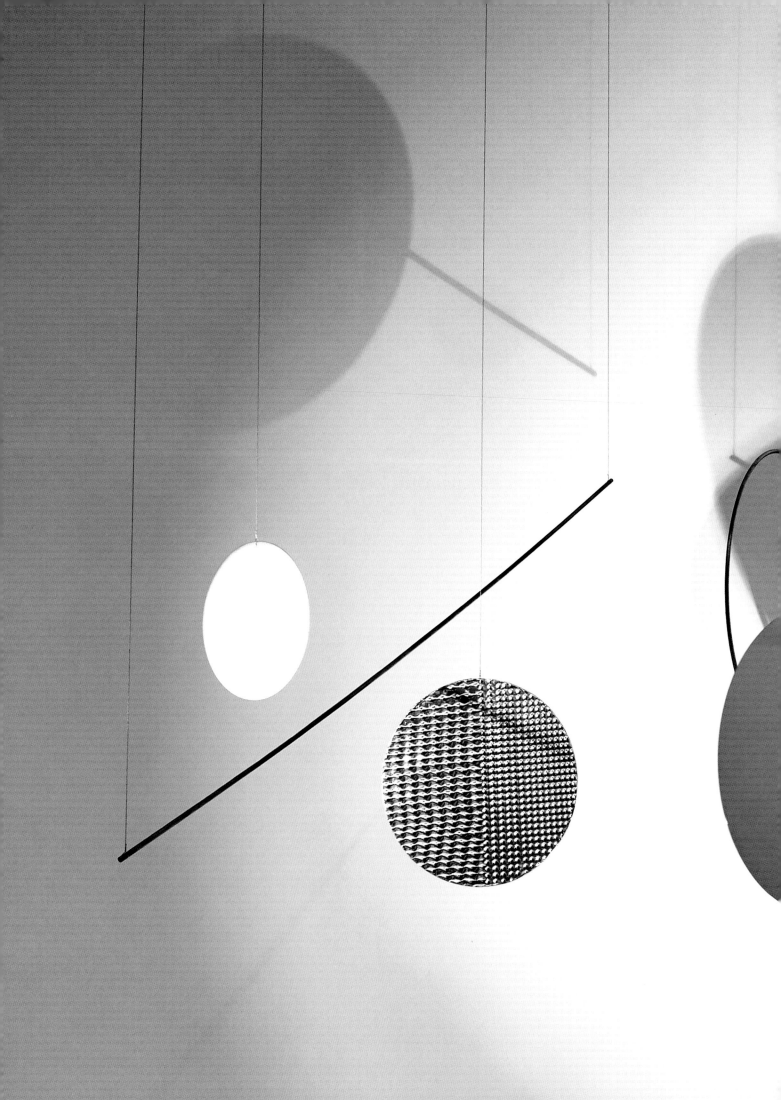

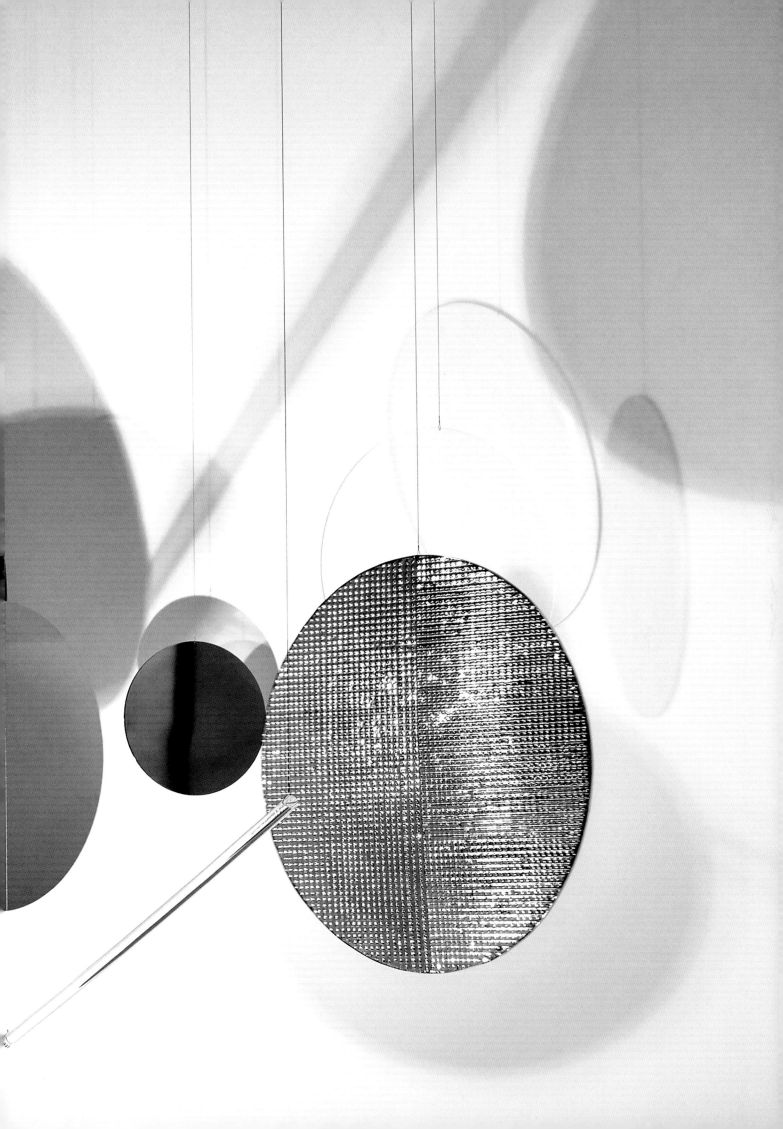

"MACK. Apollo in my Studio," Küppersmühle für Moderne Kunst, Duisburg, Germany, 2015-2016

Weisse Licht-Stufen, 2011. White marble, 75 × 33 × 30 cm / 29$^{1/2}$ × 13 × 11$^{13/16}$ in

Next pages: "MACK. Das Licht meiner Farben," Ulmer Museum, Ulm, Germany 2015-2016

Blue Queen, 2008. Acrylic on canvas, 204 × 155 cm / 80$^{5/16}$ × 61$^{1/32}$ in

The Dance (Light-Relief), 1963. Embossed aluminum on wood, mounted on silver-colored wood panel, plexiglass cover, 214 x 115 x 10 cm / 84$^{1/4}$ x 45$^{1/4}$ x 3$^{15/16}$ in

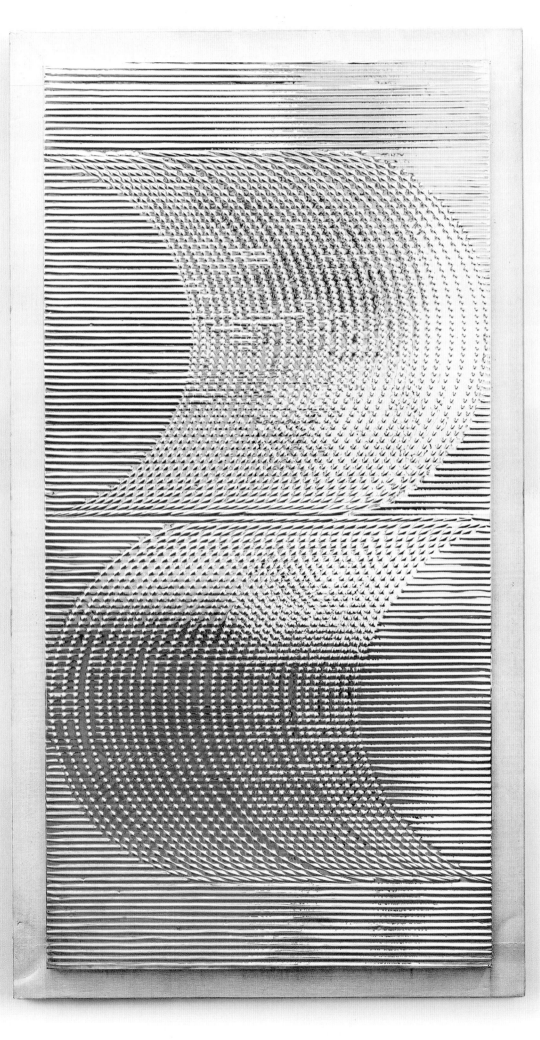

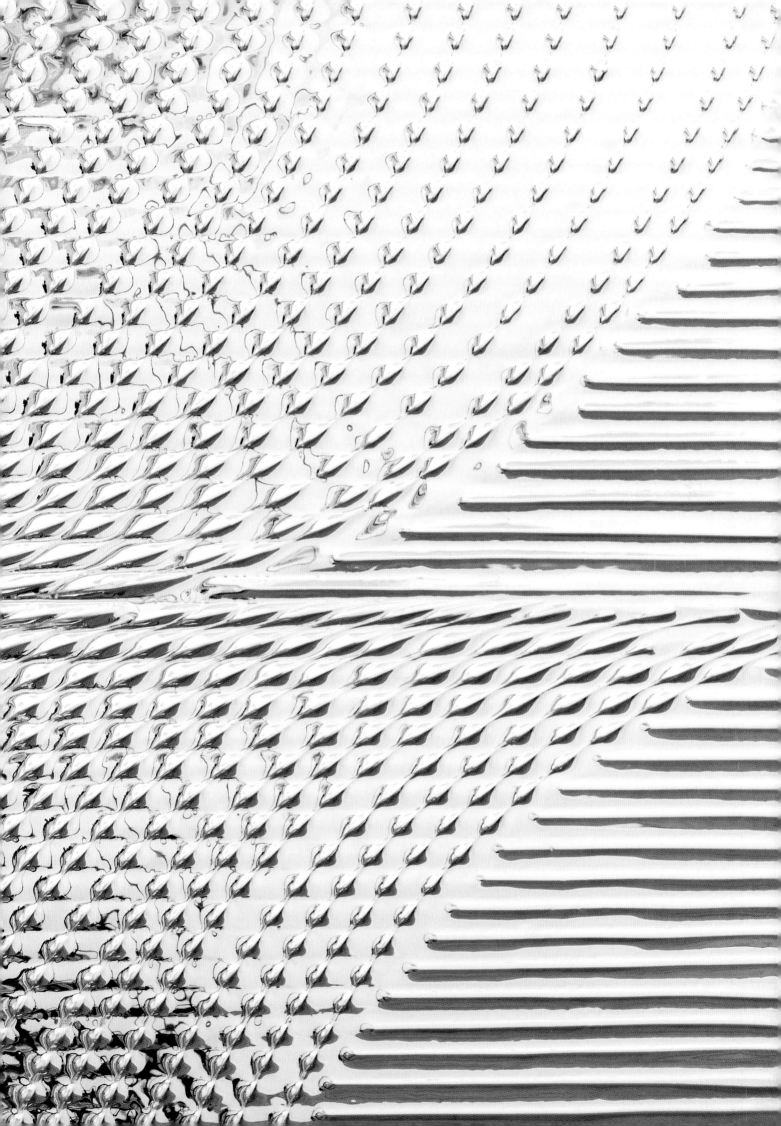

Previous pages: *Schwarzes Licht-Relief*, 1959. Synthetic resin on wood, 58 × 83 × 2 cm / 22$^{13/16}$ × 32$^{11/16}$ × 1 in

Weisses Lichtgitter (Weiss-Schraffur), 1964-1966. Wax crayon on paper, frame, 135 × 106 cm / 53$^{1/8}$ × 41$^{3/4}$ in

Next pages: *Stelen-Wald (Modell für monumentales Projekt)*, 1970-1983. Wood, stainless steel, masonite, 53 × 152 × 125 cm / 20$^{7/8}$ × 59$^{13/16}$ × 49$^{3/16}$ in

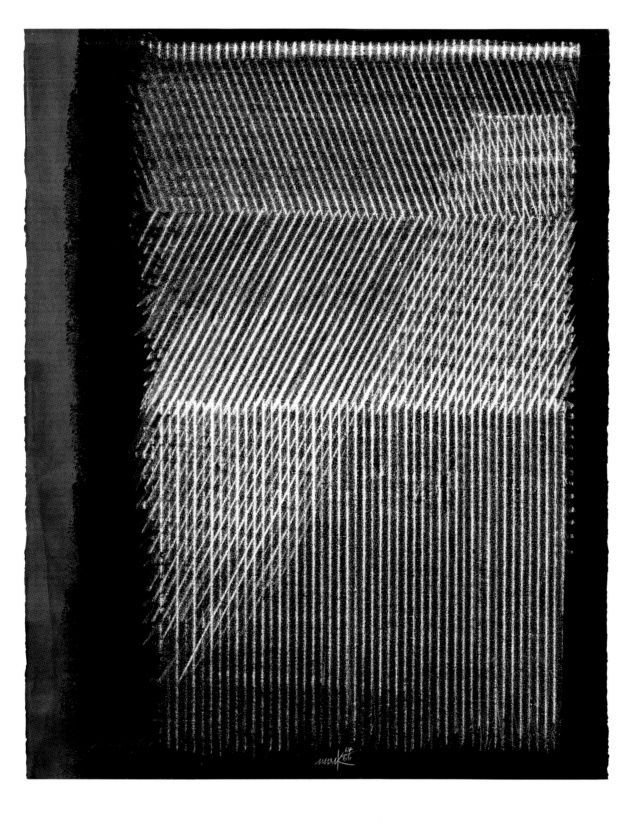

Previous pages: *The Sky Over Nine Columns*, island of San Giorgio Maggiore, Venice, Italy, 2014

Lichtgitter-Relief, 1984. Steel, varnish, brass, wood. 100 × 91.5 × 41.5 cm / 39 3/8 × 36$^{1/16}$ × 16$^{5/16}$ in

Ohne Titel, 1959. Synthetic grid, chicken wire in front of aluminum plate on plywood, plexiglass cover, 69.5 × 50 × 18 cm / 27$^{3/8}$ × 19$^{11/16}$ × 7$^{1/16}$ in

Next pages: *Weisse Vibration*, 1958. Synthetic resin on board, 44.5 × 53.5 cm / 17$^{17/32}$ × 21$^{1/16}$ in

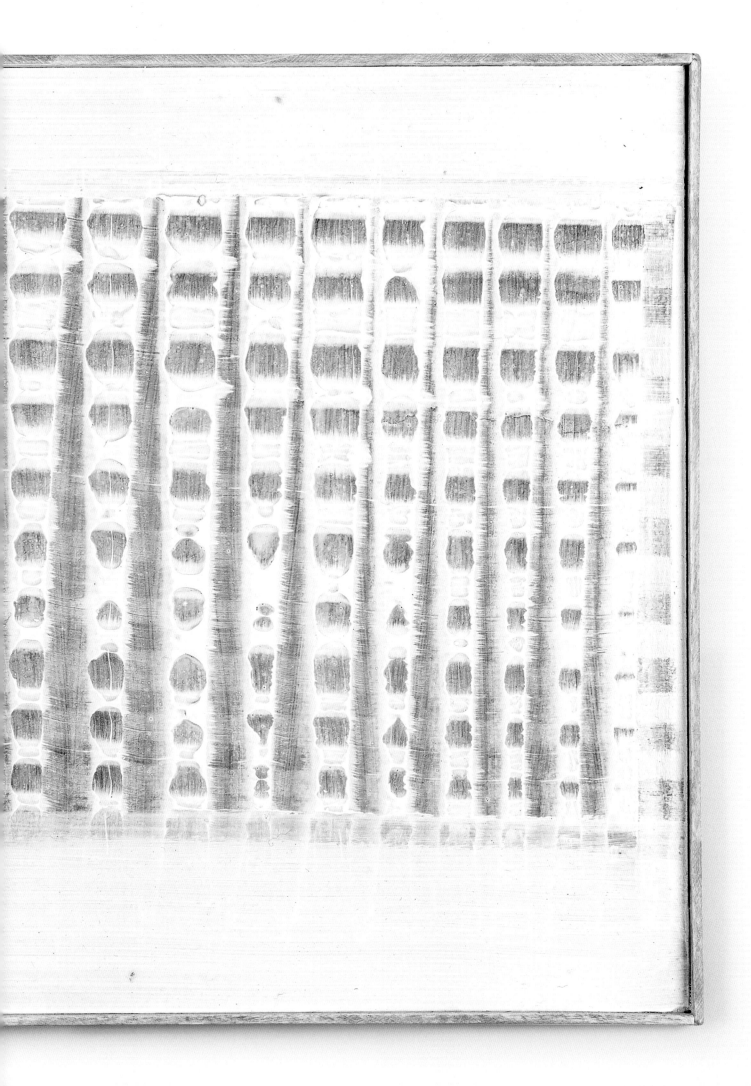

Ohne Titel, 1959. Resin on hardboard, plexiglass cover, 51 × 38 × 6 cm / 20$^{1/16}$ × 14$^{15/16}$ × 2$^{3/8}$ in

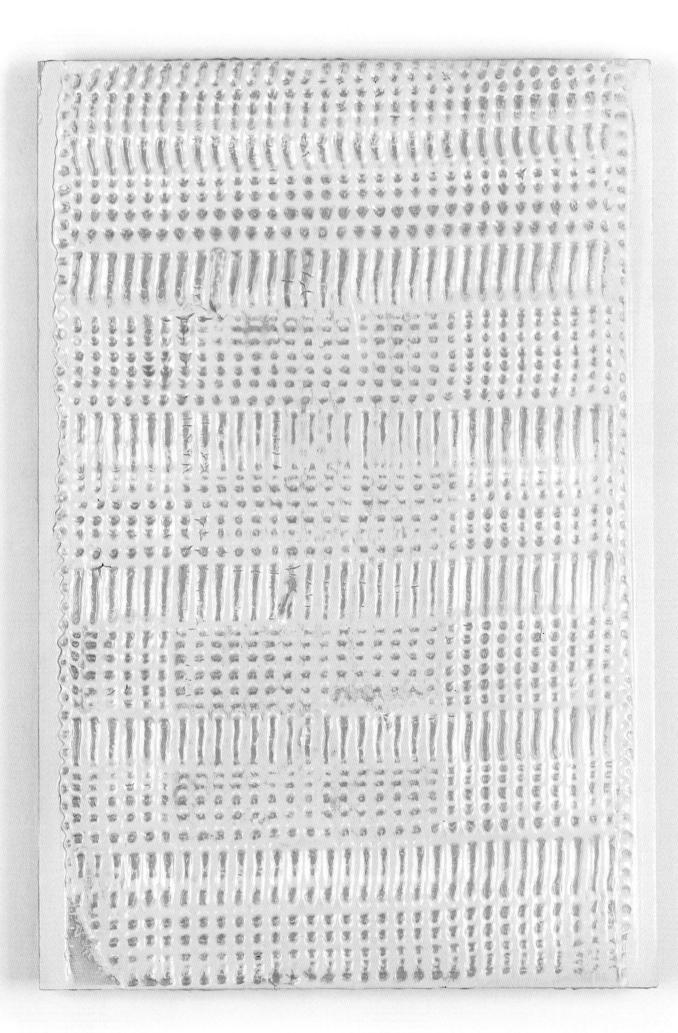

Top and on the right: *Die Treppe zum Himmel*, 1955-1983. Onyx and wood, 156 × 34 × 50 cm / 61$^{7/16}$ × 13$^{3/8}$ × 19$^{11/16}$ in

Next pages: *Grosses Sandrelief*, 1962-1970. Sahara sand, wood, plexiglass, 106 × 144 × 14 cm / 41$^{3/4}$ × 56$^{11/16}$ × 5$^{1/2}$ in

Artktis-Pyramide, Arctic, 1976

Entwurf für eine Lichtpyramide, 1964. Chrome, nickel, polished steel, 92 × 110 × 110 cm / 36$^{1/4}$ × 43$^{5/16}$ × 43$^{5/16}$ in

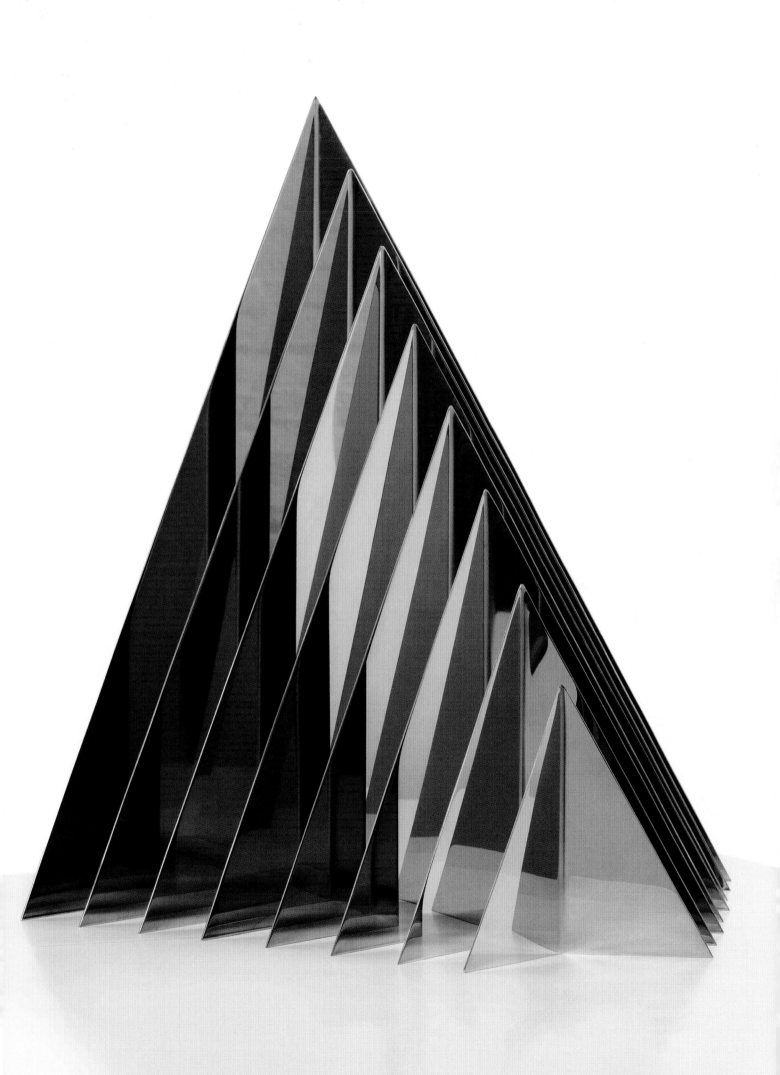

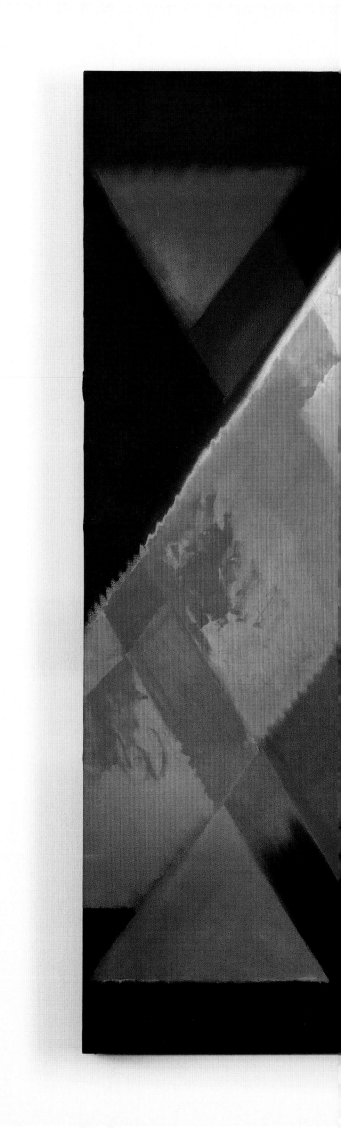

Previous pages: *Die Musik (Chromatische Konstellation)*, 1998. Acrylic on canvas, 281 × 299 cm/110⁵/⁸ × 117¹¹/¹⁶ in

Ohne Titel, 1968. Paint on wood, 39.5 × 20.5 × 20 cm/15⁹/¹⁶ × 8¹/¹⁶ × 7⁷/⁸ in

Ohne Titel (Klassische Farbchromatik), 1966. Pastel on paper, frame, 112 × 77 cm / 44³/₃₂ × 30⁵/₁₆ in

German Pavillon of the 35th Venice Biennale, 1970

Ohne Titel, 1963-2015. Plexiglass, 259 × 31.2 × 9 cm/101$^{15/16}$ × 12$^{5/16}$ × 3$^{9/16}$ in

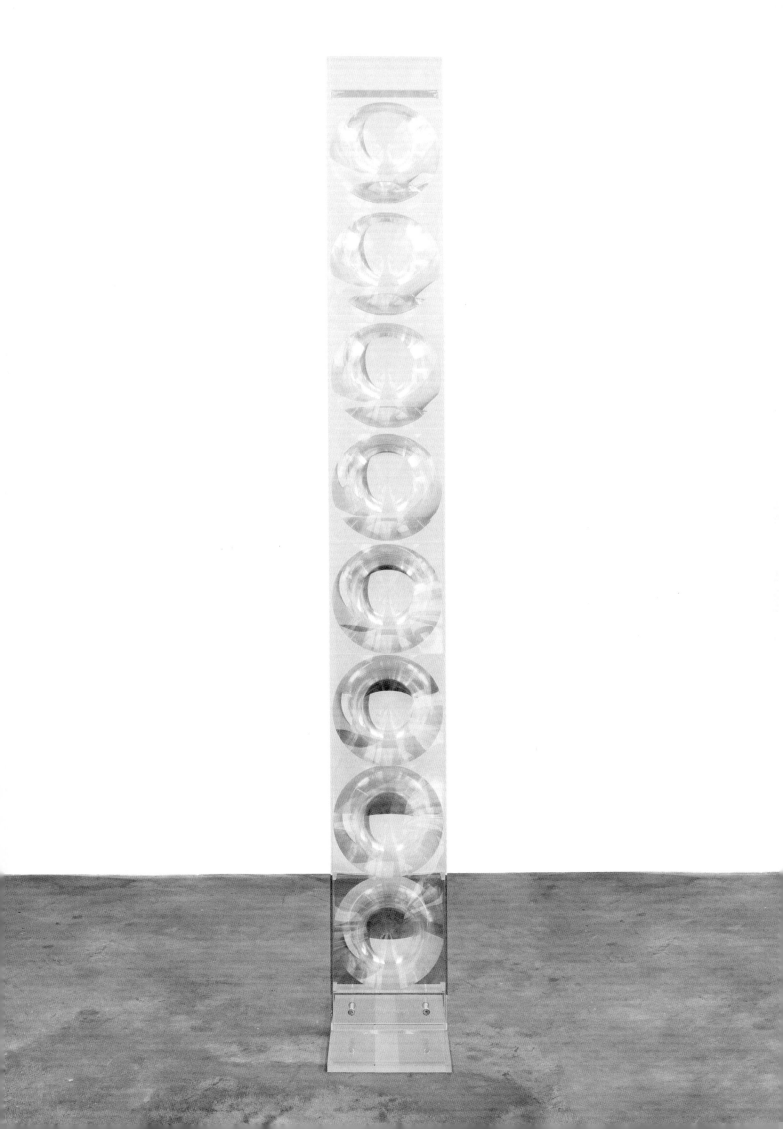

Structure Dynamic Blanc, 1958. Synthetic resin on canvas, frame, 133 × 112 × 7.5 cm / 52$^{3/8}$ × 44$^{1/8}$ × 2$^{15/16}$ in

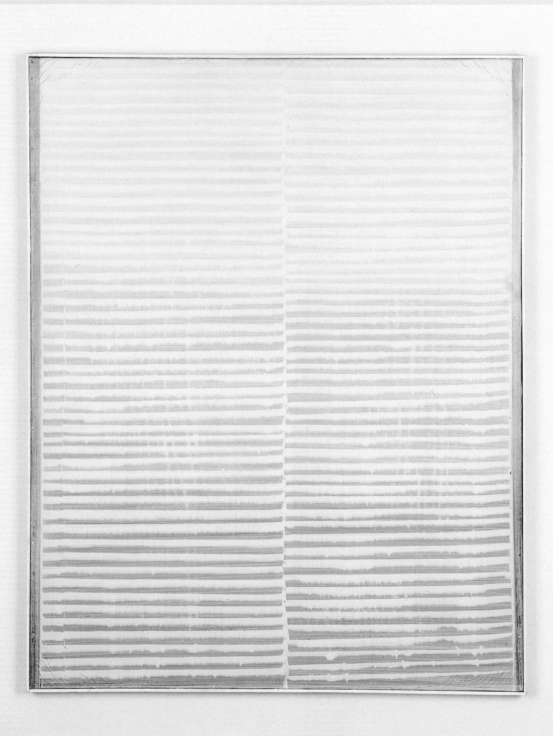

Das sehr schwarze Bild, 1961-1962. Synthetic resin, varnish, velvet, 125 × 110 cm / 49$^{7/32}$ × 43$^{5/16}$ in

Ohne Titel, 1962. Graphite on paper, frame, 106 × 79 cm / 41$^{23/32}$ × 31$^{3/32}$ in

Next pages: *Vibration im Blau*, 1959. Synthetic resin on canvas, frame, 128 × 162 cm / 50$^{3/8}$ × 63$^{3/4}$ in

Fireship in the desert, 1968. Tunisia

Collage with Sand, 1987. Cardboard, sand, wood, plexiglass, 79 × 53 cm / 31$^{1/8}$ × 20$^{7/8}$ in

Next pages: *Ohne Titel*, 1957-1958. Synthetic resin on grey cotton cloth, 102 × 146 cm / 40$^{3/16}$ × 57$^{1/2}$ in

Ohne Titel, 1960. Synthetic resin on wood, plexiglass cover, 64 × 74 × 5.5 cm / 25³/¹⁶ × 29¹/⁸ × 2³/¹⁶ in

Next pages: "Heinz Mack, Transit Between Occident and Orient. Fascination with and Inspiration from Islamic Culture in the Artist's Work. A Facet of his Work from 1950-2006," Pergamonmuseum, Berlin, Germany, 2006-2007

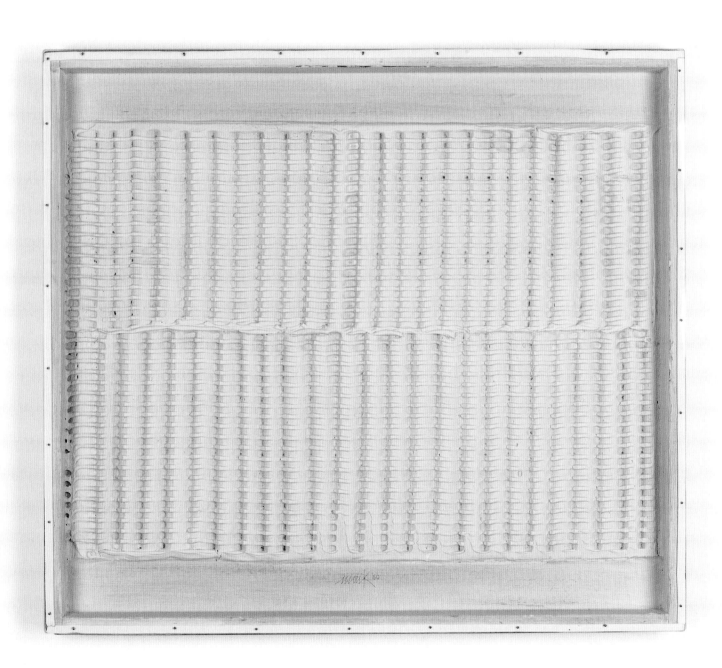

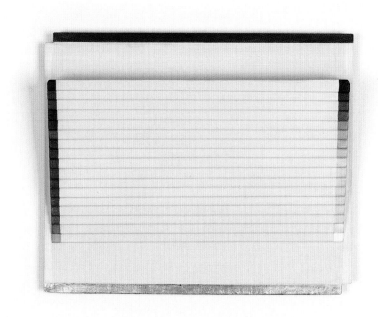

Previous pages: *Der Garten im Garten*, 1979-1980. Aluminum, stainless steel, plexiglass,
175 × 525 × 3 cm / 68⁷/⁸ × 206¹¹/¹⁶ × 1³/¹⁶ in

Farbstufen, 1955-1957. Paint on wood, brass, gypsum, 43 × 53 × 8 cm / 16¹⁵/¹⁶ × 20⁷/⁸ × 3¹/⁸ in

Wings of Gabriel, 1965. Aluminum, wood, stainless steel, plexiglass, 205 × 164 × 10 cm / 80$^{23/32}$ × 64$^{9/16}$ × 3$^{15/16}$ in

Ohne Titel (Chromatische Konstellation), 2011. Acrylic on canvas, 267 × 225 cm / 105$^{1/8}$ × 88$^{19/32}$ in

Silver-Fan, 1966-2014. Stainless steel, 210 × 210 × 22 cm / 82$^{11/16}$ × 82$^{11/16}$ × 8$^{11/16}$ in

Top: *Ohne Titel*, 1970. Aluminum, corrugated glass, stainless steel, motor, 38 × 38 × 14 cm/14$^{15/16}$ × 14$^{15/16}$ × 5$^{1/2}$ in

Bottom: *Ohne titel*, 1970. Aluminum, corrugated glass, stainless steel, motor, 38 × 38 × 14 cm/14$^{31/32}$ × 14$^{31/32}$ × 5$^{1/2}$ in

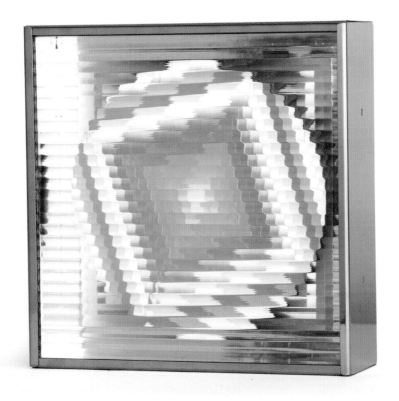

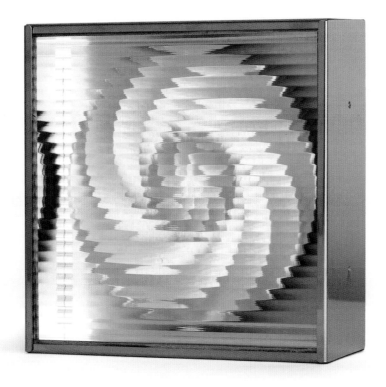

Galerie Denise René, New York, 1974

Sonne und Horizont, 1967. Wood, aluminum, glass, motor, 93.5 × 92.8 × 26.2 cm / 36$^{13/16}$ × 36$^{9/16}$ × 10$^{5/16}$ in.
Collection Museum Frieder Burda, Baden-Baden, Germany

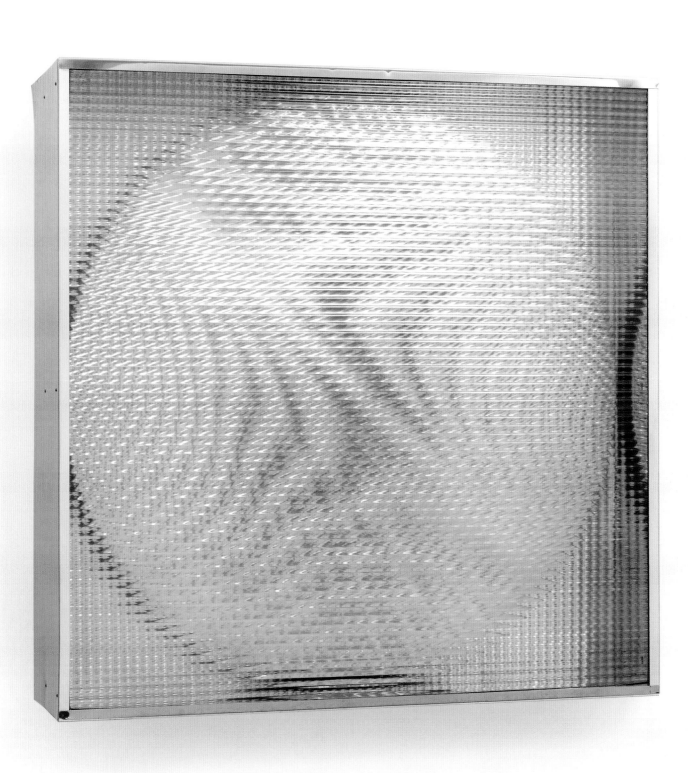

Das Meer I – Licht-Relief, 1963. Aluminum on wood panel, mounted on silver-colored wood panel, plexiglass cover, 214 × 115 × 10 cm/84¼ × 45¼ × 3¹⁵/¹⁶ in

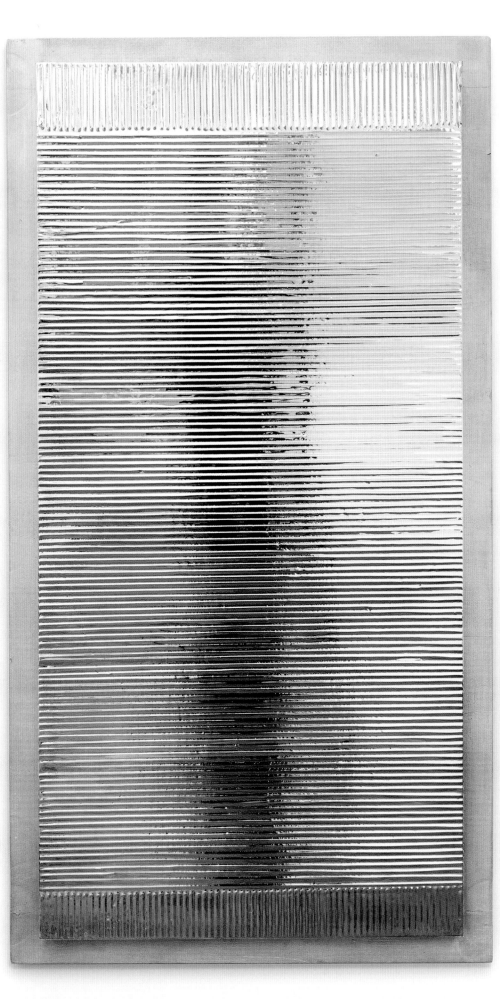

Solo Exhibitions
Selection

1957
Galerie Schmela, Düsseldorf

1959
Galerie Iris Clert, Paris

1960
Galerie Diogenes, Berlin
New Vision Centre Gallery, London
Galleria Azimut, Milan
Galerie Behr, Ulm

1961
"Mack und Piene," Galerie nächst St. Stephan,
Vienna

1962
"Mack Piene Uecker," Palais des Beaux-Arts,
Brussels

1963
"Mack Piene Uecker," Museum Haus Lange,
Krefeld
Galleria Cadario, Milan

1964
"Mack Piene," Galleria Il Biblico, Rome

1965
"Mack Piene Uecker," Kestner-Gesellschaft,
Hanover

1966
"Mack Piene Uecker," Städtische
Kunstsammlungen, Bonn
"Forest of Light," Howard Wise Gallery, New
York
"Zero ist gut für Dich. Zero-Demonstration,"
Bahnhof Rolandseck, Remagen

1967
Galerie Denise René, Paris

1970
"Lenk Mack Pfahler Uecker," 35th Venice Biennale

1971
Museum Folkwang, Essen
Kunstverein Mannheim
"Lenk Mack Pfahler Uecker,"
Zacheta-Museum, Warsaw

1972
Akademie der Künste, Berlin
Kunsthalle Düsseldorf
Galerie Denise René Hans Mayer, Düsseldorf
Galerie Denise René, New York

1973
Stedelijk van Abbemuseum, Eindhoven
Musée d'Art moderne de la ville de Paris

1974
Kunstmuseum Düsseldorf
Städtisches Museum Abteiberg,
Mönchengladbach

1975
Nordjyllands Kunstmuseum, Aalborg

1977
Kunsthalle Darmstadt
Kunsthalle Düsseldorf
Stadtmuseum, Munich

1978
Städtisches Museum Abteiberg,
Mönchengladbach

1991
"Zero Mack. Ein Environment mit Licht und
Bewegung 1958-1963," Städtisches Museum
Abteiberg, Mönchengladbach

1993
Jüdisches Museum, Vienna

1994
Kunstmuseum, Ahlen
Neuer Sächsischer Kunstverein, Dresden
Stadtmuseum, Düsseldorf

1997
Mönchehaus Museum für Moderne Kunst,
Goslar
Galeria Sztuki, Łódź
Muzeum Narodowego, Wrocław

1998
Liechtensteinische Staatliche Kunstsammlung,
Vaduz

1999
Galeria Maeght, Barcelona

2001
Skulpturenmuseum Glaskasten, Marl
Städtisches Museum Abteiberg,
Mönchengladbach
Städtisches Museum Schloss Rheydt,
Mönchengladbach-Rheydt
Tehran Museum of Contemporary Art, Tehran

2002
Wilhelm-Hack-Museum, Ludwigshafen
Museo Nacional de Ceramica, Valencia

2006
"Transit zw. Okzident und Orient,"
Pergamonmuseum, Berlin
Städtisches Museum Abteiberg,
Mönchengladbach
"Mack-Zero!," Galerie Beck & Eggeling,
Düsseldorf

2008
Galerie Samuelis Baumgarte, Bielefeld

2009
Ludwig Museum im Deutschherrenhaus,
Koblenz
Sperone Westwater Gallery, New York

2010
Ben Brown Fine Arts, London

2011
Sperone Westwater Gallery, New York
Kunst- und Ausstellungshalle der
Bundesrepublik Deutschland, Bonn
Stiftung Museum Kunstpalast, Düsseldorf
Galerie Beck & Eggeling, Düsseldorf
Kulturspeicher, Würzburg
Ben Brown Fine Arts, Hong Kong

2012
Galerie Arndt, Berlin
Galerie der Stadt, Tuttlingen
Museum Ostwall im Dortmunder U Zentrum,
Dortmund

2013
Galerie Geiger, Konstanz

2014
Leopold-Hösch-Museum, Düren
The Sky over Nine Columns, Installation on the
island of San Giorgio Maggiore, Fondazione Cini
/ Beck & Eggeling International Fine Art, Venice
Galerie Arndt, Singapore
Sperone Westwater Gallery, New York

2015
Ben Brown Fine Arts, London
Museum Frieder Burda, Baden-Baden
Ulmer Museum, Ulm
MKM Museum Küppersmühle, Duisburg

2016
Sakip Sabanci Museum, Istanbul

Group Exhibitions
Selection

1957
"Eine neue Richtung in der Malerei," Kunsthalle
Mannheim
"1. Abendausstellung," Atelier Gladbacher Str. 69,
Düsseldorf

1958
Deutscher Künstlerbund, Ausstellungshalle an der
Gruga, Essen

1959
"Die neue Generation," Kunstverein Hanover
"Motion in Vision – Vision in Motion," Hessenhuis, Antwerp
Documenta II, Friedericianum, Kassel

1960
"Konkrete Kunst – 50 Jahre Entwicklung,"
Helmhaus Zürich
"Internationale Ausstellung von Nichts,"
Grandweg 24, Hamburg
"Monochrome Malerei," Städtisches

Museum Schloss Morsbroich, Leverkusen
Festival d'art d'avant-garde, Grand Palais, Paris
"Kinetische Kunst," Kunstgewerbemuseum, Zürich
"La nuovo concezione artistica," Galleria Azimut,
Milan

1961
"The Pittsburgh International Exhibition,"
Carnegie Institute, Pittsburgh
"Bewogen – Beweging," Stedelijk Museum,
Amsterdam; Moderna Museet, Stockholm;
Louisiana Museum Humlebœk
"Klein – Lo Savio – Mack – Piene – Uecker," Galleria
la Salita, Rome
"Nove Tendencije," Galerija suvremene
umjetnosti, Zagreb
"Zero – Edition, Exposition, Demonstration
(Zero 3)," Galerie Schmela, Düsseldorf
"Art abstrait constructif international,"
Galerie Denise René, Paris

1962
"Anti-Peinture," Hessenhuis, Antwerp
"Nul," Stedelijk Museum, Amsterdam
"Zero Demonstration – Mack, Piene, Uecker,"
Rheinwiesen, Düsseldorf
"Sixteen German Artists," Corcoran Gallery of
Art, Washington; The Columbus Gallery of Fine
Arts, Columbus, Ohio; Munson-Williams-Procter
Institute, Utica, New York; Kalamazoo Institute of
Arts, Kalamazoo, Michigan; City Art Museum of
St. Louis, Mississippi; Virginia Museum of Fine Arts,
Richmond, Virginia

1963
"Nove tendencije 2," Galerija suvremene
umjetnosti, Zagreb
"Zero," Haus am Waldsee, Berlin

1964
Documenta III, Fridericianum, Kassel
"Painting and sculpture of a decade,"
Tate Gallery, London
"Neue Tendenzen 2. Licht und Bewegung,"
Städtisches Museum Schloss Morsbroich,
Leverkusen
Guggenheim International Award, Solomon
R. Guggenheim Museum, New York
The Pittsburgh International Exhibition, Carnegie
Institute, Pittsburgh
"Zero, New Vision Centre," London
"Group Zero," Institute of Contemporary Art,
Philadelphia
"Zero-Demonstration," ICA Institute
of Contemporary Art, London
"Mouvement 2," Galerie Denise René, Paris

1965
"Optical Painting," Institute of Contemporary Art,
Philadelphia
"Inner and Outer Space," Moderna Museet,
Stockholm
"Licht und Bewegung," Kunsthalle Bern; Museum
des 20. Jahrhunderts, Vienna; Kunsthalle Baden-
Baden; Kunsthalle Düsseldorf; Städtisches
Museum Recklinghausen; Palais des Beaux-Arts,
Brussels
"The Responsive Eye," Museum of Modern Art,
New York
"Nul 65," Stedelijk Museum, Amsterdam

1966
"Weiss auf Weiss," Kunsthalle Bern
"Directions in Kinetic Sculpture," University Art Gallery, Berkeley; Santa Barbara Museum of Art, Santa Barbara
"Licht – Kunst – Licht," Stedelijk van Abbemuseum, Eindhoven

1967
"Light Motion Space," Walker Art Center, Minneapolis
"Kinetika," Museum des 20. Jahrhunderts, Vienna

1968
Documenta IV, Fridericianum, Kassel
"Linee della Ricerca Contemporanea. Dall informale alle nuove strutture," 34th Venice Biennale

1969
"Art by Telephone," Chicago
"1. Kunstausstellung," Kaufhof am Werhahn, Düsseldorf
"Kunst als Spiel. Spiel als Kunst. Kunst zum Spiel," Städtische Kunsthalle Recklinghausen
"Kunst der sechziger Jahre in der Sammlung Ludwig," Wallraf-Richartz-Museum, Cologne
"Groupe Zero 1959-1969," Galerie Isy Brachot, Brussels

1970
"Kinetics," Hayward Gallery, London
"Contemporary Trends and International Art," Expo Museum, Osaka
"Zero in Krefeld," Galerie Denise René Hans Mayer, Krefeld

1973
"Hommage à Picasso," Kestner-Gesellschaft, Hanover

1974
"Optical and Kinetic Art," Tate Gallery, London,
"Konstruktivismus und Nachfolge," Staatsgalerie Stuttgart
"Beispiele aus der Sammlung Lenz, Kronberg," Städtische Galerie am Städelschen Kunstinstitut, Frankfurt

1976
"Poesie durch Material. Licht und Bewegung," Musée d'Ixelles; Galerie Poirel, Nancy; Bibliothèque Municipale, Strasbourg
"Europa 1946-1976. Prospect – Retrospect," Kunsthalle Düsseldorf
"Kunst-Licht," Deutsches Museum, Munich
"Zero. Mack, Piene, Uecker und ihre Freunde," Kunstverein für die Rheinlande und Westfalen, Düsseldorf

1977
"Idee, Konzept, Werk," Akademie der Künste, Berlin
"Kunst – Was ist das?," Kunsthalle Hamburg
Documenta VI, Fridericianum, Kassel
"Skulptur. Projekte," Westfälisches Landesmuseum, Münster

1978
"Aspekte der 60er Jahre aus der Sammlung Reinhard Onnasch," Nationalgalerie Berlin

1979
"Europa 79," Stuttgart
"Zero. Bildvorstellungen einer europäischen Avantgarde," Kunsthaus Zürich

1981
"Phoenix," Alte Oper, Frankfurt
"Westkunst," Museum Ludwig, Messehallen der Stadt Köln, Cologne
"Collezione Calderara," Casa Calderara, Vacciago
"Sky Art Conference," MIT Massachusetts Institute of Technology, Cambridge

1983
"Electra," Musée d'Art moderne de la ville de Paris

1985
"Deutsche Kunst 1945-1985," Nationalgalerie Berlin
"Deutsche Kunst im 20. Jahrhundert 1905-1985," Royal Academy of Arts, London
"Vom Klang der Bilder," Staatsgalerie Stuttgart
"Zero. Mack – Piene – Uecker," Hamburger Kunstverein, Hamburg

1986
Deutsche Kunst im 20. Jahrhundert, Staatsgalerie Stuttgart

1987
"Mathematik in der Kunst der letzten dreissig Jahre," Wilhelm-Hack-Museum, Ludwigshafen
Monumenta – 19de Biennale, Openluchtmuseum vor Beldhouwkunst, Antwerp
"Der unverbrauchte Blick," Martin-Gropius-Bau, Berlin

1988
"Stationen der Moderne," Berlinische Galerie im Martin-Gropius-Bau, Berlin
"Zero – un Movimiento Europeo. Colección Lenz Schönberg," Fundació la Caixa, Barcelona; Fundación Juan March, Madrid; Städtische Galerie im Lenbachhaus, Munich

1989
"Eine europäische Bewegung in der bildenden Kunst von 1958 bis heute. Sammlung Lenz Schönberg," Zentrales Künstlerhaus, Moscow

1990
"Bis jetzt," Sprengel Museum Hanover
"Die Stele," Darmstädter Sezession, Darmstadt

1991
"Bildlicht – Malerei zwischen Material und Immaterialität," Museum des 20. Jahrhunderts, Vienna
"Sammlung Lenz Schönberg," Neues Museum Weserburg, Bremen
"Die Kunst von innen bittend. Sammlung Lenz Schönberg," Tiroler Landesmuseum Ferdinandeum, Innsbruck

1992
"L'Art en mouvement," Fondation Maeght,
Saint-Paul de Vence

1993
"The George and Edith Rickey Collection
of Constructivist Art and Richard Pettibone
Miniatures," Neuberger Museum of Art,
New York
"New Realities: Art from Post-War Europe," The
Tate Gallery, Liverpool
"Zero. Eine europäische Avantgarde," Galerie
Marie-Louise Wirth, Zürich

1994
"Europa, Europa," Kunst- und Ausstellungshalle
der Bundesrepublik Deutschland, Bonn
"Von Jean Arp bis Keith Haring. Die Sammlung
Fritz W. Meyer," Kunstmuseum St. Gallen
"Das Jahrhundert des Multiple," Deichtorhallen,
Hamburg

1995
"Auf Papier – Kunst des 20. Jahrhunderts aus
der Sammlung der Deutschen Bank, Schirn
Kunsthalle, Frankfurt
"Würth – Eine Sammlung," Ludwig Museum
Budapest
"Zero Italien – Azimut/Azimuth 1959-1960
in Mailand. Und heute," Galerien der Stadt
Esslingen, Villa Merkel, Esslingen

1996
"Kunst des Westens. Deutsche Kunst 1945-
1960," Kunsthalle Recklinghausen

1997
"Augenzeugen – Die Sammlung Hanck.
Papierarbeiten der 80er und 90er Jahre,"
Kunstmuseum Düsseldorf
"Zero International – Zero et Paris 1960,"
Musée d'Art moderne et d'Art contemporain,
Nice

1998
"Kunst und Kunststoff," Kunstmuseum
Düsseldorf
"Licht en Sculptur," Palast-Museum Den Haag
"Kunst im Aufbruch. Abstraktion zwischen 1945-
1959," Wilhelm-Hack-Museum, Ludwigshafen

1999
"Zero aus Deutschland 1957 bis 1966.
Und heute," Städtische Galerien der Stadt
Esslingen, Villa Merkel, Esslingen

2000
"Formes et Mouvements d'Art au XXᵉ siècle.
Hommage à Denise René," Tsukuba Museum
of Art, Ibaraki; Marugame Genichire Inokuma
Museum of Contemporary Art, Marugame;
Urawa Art Museum, Urawa; City Museum of Art
Himeji

2001
"Die Intelligenz der Hand – Europäische
Meisterzeichnungen von Picasso bis Beuys,"
Rupertinum, Salzburg
"Open Ends," Museum of Modern Art, New
York
"Die Sammlung Kemp," Kunsthalle Düsseldorf

2002
"Von Zero bis 2002," ZKM Museum für neue
Kunst, Karlsruhe

2003
"Berlin – Moskau 1950-2000, von heute aus,"
Martin-Gropius-Bau, Berlin; Staatliches
Historisches Museum am Roten Platz/
Tretjakow Galerie, Mocow

2004
"Beyond Geometry. Experiments in Form 1940-
1970," Los Angeles County Museum of Art,
Los Angeles
"Zero. Die europäische Vision – 1958 bis heute.
Sammlung Lenz Schönberg," Muzej suvremene
umjetnosti, Zagreb

2005
"Von Paul Gauguin bis Imi Knoebel. Werke
aus der Hilti Art Foundation," Kunstmuseum
Liechtenstein, Vaduz

2006
"Wunderkammer Bahnhof – 150 Jahre
Bahnhof Rolandseck," Arp Museum Bahnhof
Rolandseck, Remagen
"Lichtkunst aus Kunstlicht," ZKM Museum
für neue Kunst, Karlsruhe
"Kunst auf der Bühne. Les grands spectacles
II," Museum der Moderne, Salzburg
"Zero – Künstler einer europäischen Bewegung.
Sammlung Lenz Schönberg 1956-2006,"
Museum der Moderne, Mönchsberg, Salzburg
"Zero," Museum Kunst Palast, Düsseldorf;
Musée d'Art moderne de Saint-Étienne

2007
"1950s-1960s Kinetic Abstraction," Andrea
Rosen Gallery, New York
"Op Art," Schirn Kunsthalle, Frankfurt
"Hommage an Malewitsch," Hamburger
Kunsthalle, Hamburg
"Guggenheim Collection 1940 to now,"
International Gallery of Victoria, Melbourne
"Garten Eden – Der Garten in der Kunst seit
1900," Kunsthalle Emden
"Optic Nerve: Perperual Art of the 1960s,
Columbus Museum of Art, Columbus

2008
"Heavy Metal – Die unerklärliche Leichtigkeit
eines Materials," Kunsthalle zu Kiel
"spot on: ZERO in der Fotografie,"
Museum Kunst Palast, Düsseldorf
"spot on: 50 Jahre Zero in Düsseldorf,"
Museum Kunst Palast, Düsseldorf
"Zero in NY," Sperone Westwater Gallery,
New York

2009
"Meisterwerke der Moderne. Sammlung Barfiner," Albertina, Vienna
"Infinitum," Palazzo Fortuny, Venice
"Begegnung mit dem Fremden," Goethe-Museum, Düsseldorf
"Licht!," Zeughaus Augsburg
"Das Fundament der Kunst – Die Skulptur und ihr Sockel seit Alberto Giacometti," Städtische Museen Heilbronn; Gerhard-Marcks-Haus, Bremen; Arp Museum Bahnhof Rolandseck, Remagen
"Kunst und Kalter Krieg. Deutsche Positionen 1945-1989," Deutsches Historisches Museum, Berlin

2010
"Minimalism Germany 1960s," Daimler Contemporary, Daimler Kunst Sammlumg, Berlin

2011
"Kinetik – Kunst in Bewegung," Messmer Foundation, Riegel
"TRA – Edge of Becoming," Palazzo Fortuny, Venice
"Heinz Mack, Otto Piene, Günther Uecker," Kunsthalle Schlosse Seefeld, Seefeld
"Nul = 0. Dutch avant-garde in an international context, 1961-1966," Stedelijk Museum, Schiedam
"Der geteilte Himmel. Die Sammlung 1945-1968," Neue Nationalgalerie, Berlin
Painterly Abstraction, 1949-1969. Selections from the Guggenheim Collections," Guggenheim Museum, Bilbao

2012
"Auf Augenhöhe Meisterwerke aus Mittelalter und Moderne," Ulmer Museum, Ulm
"Ends of the Earth: Art of the Land to 1974," LACMA Museum of Contemporary Art, Los Angeles; Haus der Kunst, Munich
"Mobile – Immobile," Musée de Picardie, Amiens
"Creating totally new media," M HKA Museum Contemporary Art Antwerp
"Gold," Unteres Belvedere, Vienna
"Ghosts in the Machine," New Museum, New York
"Vibrierende Bilder – Lärmende Skulpturen 1958-1963," Kunstmuseum, Krefeld
"Die Gegenwart der Bilder – Deutsche Malerei: Höhepunkte aus 6 Jahrzehnten," National Center for Contemporary Arts, Moscow

2013
"ZERO Paris-Düsseldorf," Collection Jacqueline Frydman, Passage de Retz, Paris
"ZERO," Musée Oscar Niemeyer, Curitiba; Fundação Iberê Camargo, Porto Alegre; Pinacoteca de Estado, Sao Paulo
"Novecento mai visto (Highlights from the Daimler Art Collection)," Museo di Santa Giulia, Brescia
"Die Bildhauer – Kunstakademie Düsseldorf, 1945 bis heute," Kunstsammlung NRW, Düsseldorf
"DYNAMO 1913 – 2013," Galeries nationales du Grand Palais, Paris
"Weltreise – Kunst aus Deutschland unterwegs (Werke aus dem Kunstbestand des ifa 1949-heute)," ZKM/Museum für Neue Kunst, Karlsruhe; Museum of Modern Art, Moscow

2014
"The Art of ZERO," Neuberger Museum of Art, New York
"ZERO – Countdown to tomorrow, 1950-1960s," Solomon R. Guggenheim Museum, New York
"ZERO-Raum in der Reihe SPOT ON!," Museum Kunst Palast, Düsseldorf
"ZERO," Martin-Gropius-Bau, Berlin
"ZERO. Countdown to the Future," Sakip Sabanci Museum, Istanbul
"Azimut/h. Continuity and New," Peggy Guggenheim Collection, Venice
"Seeing through light – Selections from the Solomon R. Guggenheim Museum, Abu Dhabi," Solomon R. Guggenheim Museum, Abu Dhabi
"Weiss – Aspekte einer Farbe in Moderne und Gegenwart," Museum im Kulturspeicher, Würzburg

2015
"(RE-)DISCOVERED – Werke aus der Sammlung," Mönchehaus Museum, Goslar
"Ein Quadrat ist ein Quadrat ist ein Quadrat...," Museum Ritter, Waldenbuch
"Op Art – Kinetik – Licht. Kunst in der Sammlung Würth von Josef Albers und Vasarely bis Patrick Hughes," Kunsthalle Würth, Schwäbisch Hall
"Scheinwerfer – Lichtkunst in Deutschland," Kunstmuseum, Celle
"Wie leben ? Zukunftsbilder von Malewitsch bis Fujimoto," Wilhelm-Hack-Museum, Ludwigshafen

2016
"Eye Attack – Op Art 1950-1970," Louisiana Museum, Humlebaek
"ZERO und Nouveau Réalisme. Die Befragung der Wirklichkeit," Stiftung Ahlers Pro, Hanover

Public Collections

Argentina
MACBA, Museum Art Center, Buenos Aires

Australia
National Gallery of Victoria, Melbourne

Austria
Museum Liaunig, Neuhaus; Museum moderner Kunst, Museum des 20. Jahrhunderts/ Graphische Sammlung Albertina, Vienna

Belgium
Koninklijk Museum Voor Schone Kunsten, Antwerp; Musée Royal des Beaux-Arts de Belgique, Brussels

Bolivia
Museo de Arte Moderno Jesus Rafael Soto, Bolivar

Bosnia and Herzegovina
Banja Luka; Museum of Contemporary Art,
Republic of Srpska

Brazil
Museo de Arte Moderna, Rio de Janeiro

Croatia
Galerija suvremene umjetnosti/Museum of
Contemporary Art, Zagreb

Denmark
Nordjyllands Kunstmuseum, Aalborg

France
Musées d'Amiens Métropole, Amiens; Donation
Albers-Honegger, Espace de l'art concret,
Mouans-Sartoux; Centre Pompidou, Paris; Musée
d'Art moderne et contemporain de Strasbourg

Germany
Sammlung Dr. Peter Ludwig, Aachen;
Kunstmuseum, Ahlen; Museum Frieder
Burda, Baden-Baden; Kunsthalle, Bielefeld;
Kunstsammlung der Bundesrepublik
Deutschland/LVR – Rheinisches Landesmuseum
Bonn/Städtisches Kunstmuseum, Bonn;
Kunsthalle, Bremen; Städtisches Kunstmuseum,
Brunswick; Städtische Kunstsammlungen,
Chemnitz; Museum Kurhaus Kleve, Cleves;
Veste Coburg, Coburg; Brandenburgische
Kunstsammlungen Cottbus; Museum am
Ostwall, Dortmund; Kupferstichkabinett,
Dresden; Hubertus Schoeller Stiftung im
Leopold-Hoesch-Museum, Düren; Städtisches
Kunstmuseum/Hetjens Museum, Deutsches
Keramikmuseum/Kunstsammlung E.ON
AG/Kunst aus NRW, Düsseldorf; Wilhelm-
Lehmbruck-Museum/Museum Küppersmühle
(Sammlung Ströher) Duisburg; Museum
Folkwang/Neue Nationalbank/Stadtsparkasse
Essen, Essen; Villa Merkel, Esslingen; Museum
für Kunsthandwerk/Städel-Museum, Frankfurt;
Städtisches Museum, Gelsenkirchen; Staatliche
Kunsthalle, Karlsruhe; Kunsthalle, Kiel; Museum
Ludwig/Wallraf-Richartz-Museum, Cologne;
Kaiser-Wilhelm-Museum, Krefeld; Städtisches
Museum Abteiberg, Mönchengladbach; Neue
Pinakothek/Munich; Westfälisches
Landesmuseum für Kunst und Kulturgeschichte,
Münster; Kunsthalle, Nürnberg; DaimlerChrysler
Kunstbesitz/Staatsgalerie/Sammlung der
Bundesrepublik Deutschland + Institut für
Auslandsbeziehungen, Stuttgart; Kunsthalle,
Tübingen; Städtisches Museum/Kunsthalle
Weishaupt, Ulm

Hungary
Museum der Bildenden Künste, Budapest; Janus
Pannonius Múzeum, Pécs

Japan
Ohara Museum of Art, Kurashiki;
Nagaoko-Art-Museum, Nagaoka; Niigata-
Art-Museum, Niigata; Osaka Municipal Museum
of Fine Art, Osaka

Iran
Tehran Museum of Contemporay Art, Tehran

Ireland
Museum of Art/Ulster Museum, Ulster

Israel
The Israel Museum, Jerusalem; International
Museum, Ra'anana

Italy
MUSEION, Museum für moderne Kunst,
Bolzano; Marzotto Collection, Rome; Museo
Civico di Turino, Galleria d'Arte, Turin;
Fondazione Calderara, Vaccioago die Ameno;
Peggy Guggenheim Collection, Venice

Liechtenstein
Kunstmuseum Liechtenstein, Vaduz

The Netherlands
Stedelijk Museum, Amsterdam; Stedelijk van
Abbemuseum/Stichting Kunstlicht in de Kunst,
Eindhoven; Rijksmuseum Kröller-Müller, Otterlo;
Museum Boymans-van-Beuningen; Rotterdam

Portugal
Berardo Collection, Lisbon

Russia
Staatl. Museum Nishnij Nowgorod, Novgorod

South Africa
South African National Gallery, Cape Town

Switzerland
Kunstmuseum, Bern; Musée des Arts décoratifs,
Lausanne; Kunsthaus, Zürich

United Kingdom
Museum and Art Gallery, Birmingham; Victoria
& Albert Museum/Tate Gallery London; City Art
Gallery, Manchester

USA
Albright-Knox-Art-Gallery, Buffalo; Busch-
Reisinger Museum, Cambridge; Lannon
Foundation, Chicago; Des Moines Art Center,
Des Moines; Los Angeles County Museum of
Art, Los Angeles; Bradley Sculpture Garden/
Milwaukee Art Museum, Milwaukee;Walker
Art Center, Minneapolis; Museum of Modern
Art/Solomon R. Guggenheim Museum/
Rockefeller Foundation/Chase Manhattan
Collection/Whitney Museum of American Art,
New York; Museum of Art, Carnegie Institute,
Pittsburgh; Aldrich Museum of Contemporary
Art, Ridgefield; Moscovitz Collection, St. Louis;
Hirshhorn Museum and Sculpture Garden,
Washington, D.C.

Bibliography
Selection

1957
John Anthony Thwaites, "German Painting Today; An Answer," *European Art this Month*, vol. I, IX-X, pp. 35-37.

1958
Heinz Mack, Otto Piene, *ZERO: Vol. 1 + 2. Situation. Plastik. Malerei*. Introduction by Hannelore Schubert, texts by Pierre Restany and Heinz Mack.

1960
Udo Kultermann, "Eine neue Konzeption in der Malerei," *Azimuth*, no. 2.

1961
Gillo Dorfles, *Ultime tendenze dell'arte d'oggi*, Milan.
Heinz Mack, Otto Piene, *ZERO: Vol. 3*. Carl Laszlo (ed.), *Pandermo 4. Nichts ist der Mensch. L'homme n'est rien. Man is nothing*, Basel, Panderma.

1962
Franz Roh, *Deutsche Malerei von 1900 bis heute*, München, Bruckmann.
John Anthony Thwaites, "Reaching in the Zero Zone," *Art Magazine*.

1963
Umbro Apollonio, *Quadrum. Revue internationale d'art moderne*, no. 14.
Udo Kultermann, *Junge deutsche Bildhauer*, Mainz, F. Kupferberg.
Paul Wember, *Malerei in unserem Jahrhundert*, Krefeld, catalogue of the collection, no. 3, Kaiser-Wilhelm-Museum.
Paul Wember, *Bewegte Bereiche der Kunst*, Krefeld, catalogue of the collection, no. 4, Kaiser-Wilhelm-Museum.

1964
Otto Piene, "The development of Zero," *The Times Literary Supplement*, 03/09/1964.

1965
Jürgen Claus, *Kunst heute. Personen, Analysen, Dokumente*, Reinbek bei Hamburg, rowohlts deutsche Enzyklopädie, vol. 238-239
Karl Ruhrberg, *Der Schüssel zur Malerei von heute*, Düsseldorf, Econ.

1966
Cyril Barrett, *Group Zero. Art and Artists*, London.
Willi Grohmann (ed.), *Kunst unserer Zeit. Malerei und Plastik (Deutschland, Österreich, Schweiz)*, Cologne, DuMont.
Peter Selz, *Directions in Kinetic Sculpture*, Berkeley, University Art Museum.
Gerd Winkler, "Heinz Mack," *Kunst*, no. 19-21, Mainz.
"ZERO, Mappe," portfolio (ed. of 250) with a copy of a signed embossed printing each (Uecker, Mack), and 1 watercoloured serigraph with embossing (Piene), Hanover, Kestner-Gesellschaft.

1967
Rochus Kowallek (ed.), *edition et 4. Deutschland Report*, Berlin, Christian Grützmacher.
"Luminal Music –light is the Medium," *Time Magazine*, 28/04/1967.
Mack seen. Mackazin. The Years 1957-1967, Frankfurt, Typos.
Frank Popper, *Naissance de l'art cinétique – l'image du mouvement dans les arts plastiques depuis 1860*, Paris, Gauthiers-Villars.
George Rickey, *Constructivism. Origin and Evolution*, New York, George Braziller.

1968
Gregory Battcock, *Minimal Art. A critical Anthology*, NewYork, E.R. Outton & Co. (revised ed., Berkeley, University of California Press).
Guy Brett, *Kinetic Art. The Language of Movement*, London/New York, Studio Vista.
Heinz Ohff, *Pop und die Folgen (oder die Kunst, auf der Strasse zu finden)*, Düsseldorf, Droste.
Margit Staber (ed.), *Mack. Monographie*, Cologne, DuMont.

1969
Thomas Grochowiak, *Kunst als Spiel – Spiel als Kunst – Kunst zum Spiel*, Recklinghausen, Ruhrfestspiele.
Gerd von der Osten, Horst Keller (ed.), *Kunst der 60er Jahre*, Cologne, Wallraf-Richartz-Museum.
Max Bense (ed.), *Mack. Kunst in der Wüste*, Starnberg, Josef Keller.
Dieter Wellershoff, *Literatur und Veränderung. Versuche zu einer Metakritik der Literatur*, Cologne/Berlin, Kiepenheuer & Witsch.

1970
B1. Avantgarde im Ruhrgebiet, Hamburg, Hamburger Kunstverein.
Rolf-Gunter Dienst, *Deutsche Kunst. Eine neue Generation*, Cologne, DuMont.
Jetzt. Künste in Deutschland heute, Cologne, Kunsthalle.
Jürgen Harten, Karl Ruhrberg, Wieland Schmied, Manfred de la Motte (ed.), *Kunstjahrbuch 1*, Hanover, Fackelträger.
Edward Lucie-Smith, *Kunstrichtungen seit 1945*, Vienna, Fritz Molden.
Eberhard Roters, Wieland Schmied (ed.), *Mack. Werkkatalog*, Berlin, Akademie der Künste.

1971
Heinz Ohff, *Galerie der neuen Künste. Revolution ohne Programm*, Gütersloh, Beneismann.
Juliane Roh, *Deutsche Kunst der 60er Jahre. Malerei, Collage, OpArt, Graphik*, München, Bruckmann.
Karin Thomas, *Bis heute. Stilgeschichte der bildenden Kunst im 20. Jahrhundert*, Cologne, DuMont.

1972
Jürgen Harten, Horst Richter, Karl Ruhrberg, Wieland Schmied (ed.), *Kunstjahrbuch 2.*, Hanover, Fackelträger.
Karin Thomas, *Kunst Praxis heute. Eine Dokumentation der aktuellen Ästhetik*, Cologne, DuMont.
Hans Weitpert (ed.), *Olympia in München*, Munich, Stadt München.

ZERO im Ruhrgebiet. Szene Rhein-Ruhr, Essen, Museum Folkwang.
20. Jahrhundert. Bilder, Plastiken, Objekte, Aquarelle, Zeichnungen, Bonn, Kunstmuseum.

1973
Paul Wember (ed.), Kunst in Krefeld. Öffentliche und private Kunstsammlungen, Cologne, DuMont.
Kurt Weidemann (ed.), Mack. Imaginationen, Berlin/Wien, Propyläen.
Heinz Ohff, Anti-Kunst, Düsseldorf, Droste.
Otto Piene, Heinz Mack, ZERO, Cambridge, Massachusetts, MIT (English ed.).
Otto Piene, Heinz Mack, ZERO: Vol. 1, 2, 3, Cologne, DuMont (Reprint).
Wulf Herzogenrath (ed.), Selbstdarstellung. Künstler über sich, Düsseldorf, Droste.

1974
Friedrich B. Heckmanns (ed.), Mack. Handzeichnungen, Cologne, DuMont.
Juliane Roh, Deutsche Kunst seit 1960, München, Bruckmann.

1975
Douglas Davis, Vom Experiment zur Idee. Die Kunst des 20. Jahrhunderts im Zeichen von Wissenschaft der Löwe, eine kulturphilosophische Zeitschrift. Theorie Dialoge der bildenden Kunst, no. 5, 31/7/1975, G.J. Lischka (ed.), Lisbeth Kornfeld.
Karin Thomas (ed.), Heinz Mack (Bd. 48 der Monographien zur bildenden Kunst unserer Zeit. Kultusministerium des Landes NRW), Recklinghausen, Aurel Bongers.
Mack. Strukturen, Düsseldorf, Droste.
Mack. Werkkatalog, Düsseldorf/Paris/New York, Galerie Denise René Hans Mayer.
Frank Popper, Die kinetische Kunst. Licht und Bewegung, Umweltkunst und Aktion, Cologne, DuMont.

1976
Bestandskatalog Sammlung Cremer, Münster, Westfälisches.
Landesmuseum für Kunst und Kulturgeschichte Mack. Expeditionen in künstliche Gärten, Hamburg, Gruner + Jahr.
Hans-Jürgen Müller, Kunst kommt nicht von Können, Nürnberg, Institut für moderne Kunst
Jürgen Harten (ed.), Prospectretrospect. Europa 1946-1976, Düsseldorf, Kunsthalle.

1977
Karin Thomas, Gerd de Vries (ed.), DuMont's Künstlerlexikon von 1945 bis zur Gegenwart, Cologne, DuMont.
Mack. Sculptors Safari, New York, Rizzoli.

1978
Paul Maenz (ed.), Die 50er Jahre. Formen eines Jahrzehnts, Stuttgart, Gerd Hatje.

1979
Horst Richter, Karl Ruhrberg, Wieland Schmied (ed.), Das Kunstjahrbuch 1979, Mainz, Baier.

1981
Laszlo Glozer (ed.), Westkunst. Zeitgenössische Kunst seit 1939, Cologne, Museen der Stadt Köln, Wallraf-Richartz Museum, Museum Ludwig.

1982
Aktionen - Vernissagen - Personen, Nürnberg, Institut für moderne Kunst Nürnberg.
Hommage à Barnett Newman, Berlin, Frölich und Kaufmann.

1983
Für Rupprecht Geiger. Eine Ausstellung zum 75. Geburtstag, Idea and realization, Wolfgang Pöhlmann and Walter Storms, Munich, Galerie der Künstler.
Mack, Frankfurt, Deutsche Bank.
Gabriele Mazotto, L'ultimo Avanguardia. Arte Programmara e cinetica 1953-1963.

1984
Klaus Schrenk, Aufbrüche, Manifeste, Manifestationen. Positionen der bildenden Kunst zu Beginn der 60 Jahre in Berlin, Düsseldorf und München, Cologne, DuMont.

1985
30 Jahre durch die Kunst. Museum Haus Lange 1955-1985, Krefeld, Museum Haus Lange.
Heiner Stachelhaus, Auf den Punkt gebracht. Kunstkritiken 1963-1985, Recklinghausen, Bongers.

1986
Dieter Honisch (ed.), Mack. Skulpturen. Werkverzeichnis 1953-1986, Düsseldorf/Vienna, Econ.
Dieter Honisch (ed.), Mack. Sculptures. Oeuvrecatalogue 1953-1986, New York, Econ.
Karl Ruhrberg, Kunst im 20. Jahrhundert. Das Museum Ludwig, Cologne, Klett-Cotta.
Symmetrie in Kunst, Natur und, Wissenschaft, vol. 1, Darmstadt, Institut Mathildenhöhe.

1987
Hilmar Hoffmann, Heinrich Klotz, Die Sechziger, Düsseldorf, Vienna, Econ.

1988
Anca Arghir, Transparenz als Werkstoff. Acrylglas in der Kunst, Cologne, Wienand.

1989
Thomas Kellein, Sputnik-Schock und Mondlandung. Künstlerische Grossprojekte von Yves Klein bis zu Christo, Stuttgart, Gerd Hatje.
Karl Ruhrberg (ed.), Mack. Sehverwandtschaften, Stuttgart, Cantz.
Karl Ruhrberg, Zeitzeichen. Stationen Bildender Kunst in Nordrhein-Wesfalen, Cologne, DuMont.
Paul Vogt, Geschichte der Deurschen Malerei im 20. Jahrhundert, Cologne, DuMont.
Hannah Weitemeier, Sammlung Lenz Schönberg. Eine europäische Bewegung in der bildenden Kunst von 1958 bis heute, Stuttgart, Cantz.
Fritz J. Raddatz (ed.), ZEIT-Museum der 100 Bilder. Bedeutende Autoren und Künstler stellen ihr liebstes Kunstwerk vor, Frankfurt, Insel.

1990
Lothar Romain (ed.), *Künstler. Kritisches Lexikon der Gegenwartkunst*, München, WB.
Marion Agthe (ed.), *Mack. Skulptur im Licht.* Pforzheim, Reuchlinhaus, Kulturamt der Stadt Pforzheim.
Horst Richter, *Malerei der sechziger Jahre*, Cologne, DuMont.

1991
Brigitte Reinhardt (ed.), *K. F. Kurt Fried zu Ehren. Erinnerungen an einen Kritiker, Förderer und Sammler von Avantgardekunst*, Ulm, Ulmer Museum.
Mack. Die Grosse Stele, Stuttgart, Klett-Cotta.
Annette Fulda-Kuhn (ed.), *Mack. Drei von Hundert. Werkverzeichnis der Druckgraphik und Multiples*, Stuttgart, Canu.
Mack. Licht – Farbe – Rhythmus, Schaan, Galerie Am Lindenplatz.
Mack. Skulpturen im Raum der Natur, Cologne, DuMont.
Annette Kuhn (ed.), *Zero. Eine Avantgarde der Sechziger Jahre*, Berlin/Frankfurt, Propyläen.
Zero – Mack. Der Lichtwald 1960-1969, texts by Dierk Stemmler Lothar Romain, Mönchengladbach, Städtisches Museum Abteiberg.

1992
Lichtraum. Heinz Mack - Otto Piene - Günther Uecker, Düsseldorf, Kunstmuseum.
Edward Lucie-Smith, *Die Moderne Kunst. Malerei – Fotografie – Grafik- Objectkunst*, München, Cormoran.
Ute Mack (ed.), *Mack... in... Wegweiser zu den Werken von Heinz Mack*, Düsseldorf/Wien/ NewYork/Moscow, Econ.

1993
Sekretariat für kulturelle Zusammenarbeit nichttheatertragender Städt und Gemeinden in Nordrhein-Westfalen, *1968 – Kunst und Kultur*, Pulheim, Schuffeien.
Mack. Das Lied der Lieder, Vienna, Brandsrätter.
Frank Popper, *Art of the Electronic Age*, New York, Harry N. Abrams.
Heiner Stachelhaus, *Zero. Mack Piene Uecker*, Düsseldorf/Vienna/New York/Moscow, Econ.

1994
Marion Agthe (ed.), *Mack. Farbe, Raum, Licht*, Mönchengladbach, B. Kühlen.
Mack. Lichtkunst, Ahlen, Kunstverein Ahlen.
Mack. Signatur, Remagen, Th. Rommerskirchen.

1996
Friedhelm Hofmann (ed.), *Mack. Licht und Farbe für die Kirche*, Cologne, Wienand.
Karl Ruhrberg, Manfred Schneckenborger, Christane Fricke, Klaus Honnef, *Kunst des 20. Jahrhunderts*, vol.1, Cologne, Taschen.
Mack. Ibiza. Insel im Licht, Cologne, DuMont.
Stephan Mann, *Von Matisse bis Mack. Die Künstlerkapelle im 20. Jahrhundert*, Europäische Hochschulschriften zur Kunstgeschichte, vol. 276, Frankfurt, Peter Lang.
Alfred Schmela, *Galerist – Wegbereiter der Avontgarde*, Cologne, Wienand.
Kristine Stiles, Peter Selz, *Theories and Documents of Contemporary Art. A Sourcebook of Artists Writing*, Berkeley, University of California Press.

1997
Mack. Das Atelier, Mönchengladbach, Galerie Löhrl.
Violette Garnier, *L'Art en Allemagne 1945-1995*, Paris, Nouvelles Éditions françaises.
Heinz Holtmann, *Keine Angst vor Kunst*, Düsseldorf, Econ.
Mack. Swiatlo w spojrzeniu, Chelm, Galerii 72.

1998
Ingo F. Walther (ed.), *Kunst des 20. Jahrhunderts*, vol. 2, Cologne, Taschen.
Michael Schwarz (ed.), *Licht und Raum. Elektrisches Licht in der Kunst des 20. Jahrhunderts*, Cologne, Wienand.
Bernd Hakenjos (ed.), *Mack. Skulptur aus dem Feuer. Keramische Werke 1997*, Cologne, DuMont.
Wieland Schmied (ed.), *Mack. Utopie und Wirklichkeit*, Cologne, DuMont.
Katerina Vatsella, *Edition MAT: Die Entstehung einer Kunstform. Daniel Spoerri, Karl Gesrtner und das Multiple*, Bremen, Hauschild.

1999
Mack. Ein Buch der Bilder zum West-östlichen Divan von Johann Wolfgang von Goethe, Mönchengladbach, B. Kühlen.
Rheinische Post (ed.), *Streitfall Berliner Republik*, Düsseldorf, Droste.

2000
Ute Mack (ed.), *Mack. Druckgraphik und Multiples 1991-2000, Werkverzeichnis*, Mönchengladbach, B. Kühlen.

2001
Uwe Rüth (ed.), *Mack. Licht der Wüste. Licht des Eismeeres*, Mari, Skulpturenmuseum Glaskast.
Mack. Licht im Schwarz, Düsseldorf, Galerie Schoeller.
Mack. Malerei 1991-2001, Mönchengladbach, Städtisches Museum Abteiberg.
Carsten Sternberg (ed.), *Mack. Skulpturen auf der Wallanlage von Schloss Rheydt*, Heidelberg, Wachter.
Tehran Museum of Contemporary Art (ed.), *Mack. Wahlverwandtschaften*, Mönchengladbach.
Stiftung Museum Schloss Moyland, Sammlung van der Grinten, Joseph Beuys Archiv des Landes Nordrhein-Westfalen (ed.), *Mack. Zeichnungen, Pastelle, Tuschen*, Mönchengladbach, B. Kühlen.
Monika Wagner, *Das Material der Kunst. Eine andere Geschichte der Moderne*, Munich, C.H. Beck.

2002
Heinz Althöfer (ed.), *Informel. Begegnung und Wandel*, vol. II, Dortmund, Museum am Ostwall.
Jean-Hubert Martin (ed.), *Künstlermuseum. Bogomir Ecker. Thomas Huber. Neupräsentation der Sammlung Museum Kunst Palast*, Düsseldorf, Museum Kunst Palast.

2003
E. ON Art Collection, Düsseldorf, E. ON AG.
Ute Mack (ed.), introduction by Uwe Rüth,*Mack. Skulpturen 1986-2003*, Mönchengladbach, B. Kühlen.
Renate Wiehager, *Sammlung DaimlerChrysler. Die Skulpturen*, Berlin, Daimler Chrysler Contemporary.

2004
Söke Dinkla (ed.), *Am Rande des Lichts in Mitten des Lichts. Lichtkunst und Lichtprojekte im öffentlichen Raum Nordrhein-Westfalens. Ein Lichtatlas*, Unna, Zentrum für internationale Lichtkunst.
Wibke von Bonin (ed.), *Wanda Richter-Forgach. Bilder und Zeichnungen/Paintings and Drawings*, Cologne, Wienand.
Richard W. Gassen (ed.), *25 Jahre Wilhelm-Hack-Museum. Festschrift*, Ludwigshafen, Wilhelm-Hack-Museum.
Dorothea Eimert, Hans-Peter Riese (ed.), *… stets konkret. Die Hubertus Schoeller Stiftung*, Cologne, Wienand.

2005
Harald Kimpel, Karin Strengel (ed.), *documenta 3 1964. Internationale Ausstellung. Eine fotografische Rekonstruktion*, Bremen, Temmen.
Franz Schwarzbauer, Herbert Köhler (ed.), *Hermann Waibel. Sein Werk im Kontext der Konkreten Kunst*, Ravensburg, Städtische Galerie.
Iris Nestler (ed.), *Mack. Licht im Glas. Ein Werk-Aspekt*, Mönchengladbach, B. Kühlen.

2006
Andy Warhol. "Giant" Size, London, Phaidon.
Claus Peter Haase (ed.), *Mack. Transit zwischen Okzident und Orient. Faszination und Inspiration der islamischen Kultur im Werk des Künstlers. Ein Werkaspekt 1950-2006*, Cologne, DuMont.
Heinz Mack. Silberlicht. 75 Projektionen auf Fotopapier, Mönchengladbach, Städtisches Museum Abteiberg.
L'Art du verre contemporain. Contemporary Glass Art. Zeitgenössische Glaskunst, Collection du mudac, Lausanne, La Bibliothèque des arts.
Sediment. Mitteilungen zur Geschichte des Kunsthandels, no. 10, 2006, Cologne, Zentralarchiv des internationalen Kunsthandels.
Zero. Internationale Künstler-Avantgarde der 50er-60er Jahre, Düsseldorf, Museum Kunst Palast.

2007
1940s to Now. Guggenheim Collection, Melbourne, Council of the Trustees of the National Gallery of Victoria.
Mack. Ars urbana. Kunst für die Stadt 1952-2008, Munich, Hirmer.
Ursula Zeller (ed.), *Germania. Die deutschen Beiträge zur Biennale Venice 1895-2007*, Cologne, DuMont.

2008
Zero. Mack Piene Uecker, Eindhoven, Centrum Kunstlicht in de Kunst.

2009
Heinz Mack – Licht der ZERO-Zeit, Koblenz, Ludwigmuseum/Bielefeld, Kerber Verlag.
Heinz Mack – Early Paintings 1957-1964, New York, Galerie Sperone Westwater.

2011
Mack – Kinetik, Mönchengladbach, Städtischen Museum Abteiberg/Düsseldorf, Richter Verlag.
Mack – Die Sprache meiner Hand, Düsseldorf Stiftung Museum Kunst Palast.
Marion Agthe, Ute Mack (ed.), *Heinz Mack. Malerei/Painting 1991-2011*, Mönchengladbach, B. Kühlen-Verlag.
Heinz Mack, Ute Mack (ed.), *Heinz Mack. Leben und Werk/Life and Work*, Cologne, DuMont Verlag.
Heinz Mack – Farbe, Raum, Licht, Bonn, Kunst- und Ausstellungshalle der Bundesrepublik Deutschland/Cologne, Snoeck-Verlag.

2012
Heinz Mack – Zwischen den Zeiten/Between the Times, Dortmund, Museum Ostwall.
Heinz Mack in Berlin. Works from 1958-2012, Berlin, Galerie Arndt.

2014
ZERO: Countdown to Tomorrow, 1950s-1960s, New York, Solomon R. Guggenheim Museum.
MACK. The Sky over Nine Columns, Venice, Beck & Eggeling Kunstverlag.
Heinz Mack: From ZERO to Today, 1955-2014, New York, Sperone Westwater Gallery.

2015
Heinz Mack: ZERO & More, London Ben Brown, Fine Arts.
Heinz Mack. Licht Schatten, Baden-Baden Museum Frieder Burda.
Mack. Das Licht meiner Farben, Ulm, Ulmer Museum.
Mack. Apollo in meinem Atelier, Duisburg, MKM Museum Küppersmühle für Moderne Kunst.
Jürgen Wilhelm (ed.), *MACK im Gespräch*, Munich, Hirmer Verlag.
ZERO: Die internationale Kunstbewegung der 50er und 60er Jahre, Berlin, Martin-Gropius-Bau.
Robert Fleck (ed.), *Mack. Reliefs*, Munich Hirmer, Verlag.

2016
Mack. Just Light and Colour, Sakip Sabanci Museum, Istanbul.

GALERIE PERROTIN

www.perrotin.com

NEW YORK
909 Madison Avenue
NY 10021 New York
T +1 212 812 2902
newyork@perrotin.com

PARIS
76 rue de Turenne
75003 Paris
T +33 1 42 16 79 79
paris@perrotin.com

HONG KONG
50 Connaught Road, 17th Floor
Central, Hong Kong
T +852 3758 2180
hongkong@perrotin.com

SEOUL
5 Palpan-Gil
Jongno-Gu, Seoul
T +82 02 738 7978
seoul@perrotin.com

ÉDITIONS DILECTA

49, rue Notre-Dame de Nazareth
75003 Paris
www.editions-dilecta.com

DISTRIBUTION FRANCE, BELGIQUE, SUISSE
Belles Lettres – Diffusion Distribution
25 rue du Général Leclerc, F-94270
Le Kremlin-Bicêtre
T + 33 1 45 15 19 70
F + 33 1 45 15 19 80

DISTRIBUTION EUROPE
Buchhandlung Walther König,
Ehrenstrasse 4, D-50672 Köln
T +49 221 205 96 53
F +49 221 205 96 60

DISTRIBUTION UK & IRELAND
Cornerhouse Publications
70 Oxford Street, GB-Manchester M1 5NH
T +44 161 200 15 03
F +44 161 200 15 04
publications@cornerhouse.org

DISTRIBUTION OUTSIDE EUROPE
D.A.P./Distributed Art Publishers
155 Sixth Avenue, 2nd Floor,
New York, NY 10013
T +1 212 627 1999, ext. 205
F +1 212 627 9484

MACK

DIRECTION ÉDITORIALE
Raphaël Gatel, Grégoire Robinne

DIRECTION SCIENTIFIQUE
Matthieu Poirier

COORDINATION ÉDITORIALE
Stanislas Prost, Clémentine Dupont,
Sirrine Laalou

CONCEPTION GRAPHIQUE
Sylvie Astié

TRADUCTION
Arby Gharibian, Viginie Gettle

© Éditions Dilecta, 2016
© Galerie Perrotin, 2016
© Heinz Mack/ADAGP, Paris, 2016

Achevé d'imprimer par la Manufacture
d'Histoires Deux-Ponts, à Grenoble, France
Dépôt légal : mai 2016
ISBN 978-2-37372-005-1
Prix : 39 €

Heinz Mack in Carrara

PHOTO CREDITS
Unless otherwise specified, all photographs were taken by Heinz Mack
or have been supplied by the artist's archive.

Thomas Höpker / Magnum Photos p. 10-11
Pierre Antoine p. 21, 33, 43-46, 49-57, 60-67, 71, 75-89, 91-95, 99, 102-103, 105, 109-119, 123-133, 135-139, 143, 145-154, 157-161, 166-175, 179, 180-185
Edwin Braun p. 24, 90
Tolga Bey p. 34
Weiss-Hensele p. 58-59, 96-97, 100-101, 156, 164-165
Henning Krause p. 104
Martin Rudau p. 106-107
Alessandra Chemollo p. 120-121
Claire Dorn p. 177

COURTESY
Courtesy Kunst- und Ausstellungshalle des Bundesrepublik Deutschland, Bonn, Germany p. 22-23, 140-141
Courtesy Sakip Sabanci Museum, Istanbul, Turkey p. 34
Courtesy Martin-Gropius-Bau, Berlin, Germany p. 36
Courtesy Solomon R. Guggenheim Museum, New York p. 37
Courtesy Solomon R. Guggenheim Museum, Abu Dhabi, United Arab Emirates p. 48
MKM, Museum Küppersmülhe, Duisburg, Germany p. 68, 104
Courtesy Ulmer Museum, Ulm, Germany p. 106-107
Courtesy Private collection, Germany, courtesy of Beck & Eggeling International Fine Art p. 120-121
Courtesy Pergamonmuseum, Berlin, Germany p. 162-163
Courtesy Museum Frieder Burda, Baden-Baden, Germany p. 181

Views of the exhibition "Spectrum"
curated by Matthieu Poirier
Galerie Perrotin, Paris, 2016, April 23 - June 4

Previous page: *Silber-Stele*, 2012-2014. White gold leaf mosaic on composite column, metal and gravel. 6 × 4 × 4 m/19.69 × 13.13 × 13.13 ft

Next page:
Parallelogramm, 2016. Stainless steel. 260 × 121 × 75 cm / 102 3/8 × 47 5/8 × 29 1/2 in